ERZÄHLUNG

Salim Alafenisch

Amira – Prinzessin der Wüste

D1933604

Salim Alafenisch

Salim Alafenisch wurde 1948 als Sohn eines Beduinenscheichs in der Negev-Wüste geboren. Als Kind hütete er die Kamelherde seines Vaters, mit vierzehn lernte er lesen und schreiben. 1971 legte er in Nazareth das Abitur ab, in Heidelberg studierte er Ethnologie, Soziologie und Psychologie. In seinen Erzählungen für Erwachsene und Kinder vermittelt er ein buntes, lebendiges Bild der Beduinen und ihrer Stammeskultur. Salim Alafenisch lebt als freier Schriftsteller in Heidelberg.

Amira –
Prinzessin der Wüste

RAVENSBURGER BUCHVERLAG

Mit Vignetten von Sabine Lochmann

Als Ravensburger Taschenbuch
Band 52189
erschienen 2001

Diese Taschenbuchausgabe enthält leicht verändert die beiden im Ravensburger Buchverlag erschienenen Bände „Amira – Prinzessin der Wüste" (© 1994 Ravensburger Buchverlag Otto Maier GmbH) und „Amira im Brautzelt" (© 1998 Ravensburger Buchverlag Otto Maier GmbH).

Umschlagillustration: Sabine Lochmann

RTB-Reihenkonzeption:
Heinrich Paravicini, Jens Schmidt

Alle Rechte dieser Ausgabe vorbehalten durch Ravensburger Buchverlag

Printed in Germany

Die Schreibweise entspricht den Regeln der neuen Rechtschreibung.

5 4 3 2 1 05 04 03 02 01

ISBN 3-473-52189-2

www.ravensburger.de

ERZÄHLUNG

INHALT

Meiner Tochter
Sarah Raiqa gewidmet

Vorgeschichte

Vor langer Zeit lebten Omar und Fatima. Sie waren Vetter und Kusine und gehörten zum Stamm der Banu-Asad, dem Stamm des Löwen. Ihr Stammesgebiet lag im großen und breiten Arabien.

Omar und Fatima kannten einander von Kindesbeinen an. Beide wurden im selben Frühling geboren. Omar kam zur Welt, als die ersten Frühlingskräuter sprossen, und Fatima wurde am Ende der Weidezeit geboren, als die Weidepflanzen schon hoch geschossen und die Samen fast reif waren. Beide wuchsen im selben Zeltlager auf. Als kleine Kinder spielten sie miteinander neben den schwarzen Zelten des Stammes. Da Omars Vater und Fatimas Vater Brüder waren, hatten sie ihre Zelte nebeneinander aufgeschlagen. So lebten die Familien beisammen und die Herden lagerten vor den Zelten. Mal hielt der eine Bruder

Nachtwache, mal der andere, um die Tiere vor Wölfen und Dieben zu schützen.
Als Omar und Fatima in ihrem siebten Frühling waren, wurden sie mit der Aufgabe betraut, die Zicklein unweit des Zeltlagers zur Weide zu führen. Drei Frühlinge lang weideten sie ihre kleinen Herden. Die Zicklein wuchsen von Tag zu Tag und auch Omar und Fatima wurden größer. Bald reichten ihnen ihre Gewänder nur noch bis zu den Knien und ihre Zehen ragten aus den Sandalen.
Eines Morgens, als Omar seine kleine Herde um sich sammelte, sprach ihn der Vater an: „Omar, mein Sohn! Du brauchst jetzt breite Sandalen und ein langes Gewand. Ab heute wirst du die Ziegen zur Weide führen!"
„Und wer kümmert sich um die Zicklein?", fragte Omar.
„Deine jüngere Schwester löst dich ab", lächelte der Vater und strich mit der Hand über den Haarzopf des Jungen.
Doch Omar schien von der Idee nicht begeistert. Der Vater spürte sein Zögern. „Omar, was bedrückt dich?"
Der Sohn schwieg und wandte seinen Blick zu den Zicklein, die ungeduldig vor den Zelten hin und her sprangen.
Während der Vater ins Scheichzelt ging und sich zu den Männern gesellte, um gewürzten Kaffee zu trinken, schossen zahllose Gedanken durch Omars Kopf. Er dachte an seine Kusine Fatima: Es macht wenig Spaß, die Ziegen allein zu weiden, während Fatima neben den Zelten die Zicklein hütet!
Unwillig führte der junge Hirte die große Herde zur Weide. Sehnsüchtig blickte er von fern auf das Zeltlager, das ihm wie eine rastende Ziegenherde erschien. Ungeduldig erwartete er

den Abend. Als die glutrote Sonne sich dem Horizont zu neigte, trieb er seine Herde zur Eile an.

Im Zeltlager herrschte buntes Treiben. Die Zicklein sprangen hin und her vor Freude, als sie die Ziegen mit den prallen Eutern sahen. Jedes Zicklein hängte sich an seine Mutter und sog gierig die Milch. Zwillinge balgten sich um die Euter, bis jedes eine Zitze gefunden hatte. Der Duft von frisch gebackenem Fladenbrot erfüllte die Luft.

Allmählich wurde es ruhiger in den Zelten. Die Zicklein lagen eng an ihre Mütter geschmiegt, nur ab und an vernahm man ein verhaltenes Meckern.

Omar stand versunken vor dem Zelt und betrachtete die funkelnden Sterne. Seine Mutter rollte neben ihm einen buntgewobenen Teppich aus und nur wenig später hatte sich die Familie um die Schüsseln und Schalen herum versammelt. Als die Mutter Omar die Suppe und ein Fladenbrot anbot, schob dieser das Essen zurück.

„Mein Augenschein!“, sagte sie. „Willst du die leckere Weizensuppe nicht essen?“

„Ich habe keinen Hunger“, gab Omar zur Antwort.

„Du hast dir doch gestern diese Suppe gewünscht“, schaltete sich der Vater ein.

Der Junge schwieg.

Die Mutter wandte sich ihrem Mann zu. „Hast du Streit mit Omar?“

„Ich habe ihn heute mit der großen Ziegenherde zur Weide geschickt, doch anscheinend behagt ihm das nicht“, erwiderte der Vater.

„Mein Sohn! Du bist doch kein Kind mehr!“, sagte die Mutter. „Deine kleine Schwester kann sich um die Zicklein kümmern!“

Der Vater und die Mutter schauten sich an und beendeten das Gespräch über das Thema.

Omar erhob sich und legte sich auf das Schlaflager.

„Ich gehe in das Scheichzelt. Der Stamm erwartet heute Gäste“, sagte der Vater und machte sich auf den Weg.

Nachdem die Mutter dem Ziegenbock sein Futter gegeben hatte, schüttete sie Asche über die Glut. Dann legte sie sich zu ihren Kindern auf das Schlaflager. Diese erwarteten die Mutter voll Ungeduld, denn sie wollten die Geschichte von dem Brautkamel zu Ende hören. Die Erzählerin hatte schon seit Tagen ihre jungen Zuhörer auf den Ausgang der Geschichte neugierig gemacht. Sie löste ihren Kleidergürtel und streckte sich auf der Matratze aus. Neben ihr lagen die Kinder in einer Reihe. Die Mutter zählte die Köpfe unter den Wolldecken. Es waren sieben. Nur Omars Kopf lag verkehrt herum.

„Omar! Willst du unsere Füße riechen?“, scherzte sie. „So kannst du mich schlecht hören!“

Der Junge blieb still. Es dauerte eine Weile, bis er nachgab und sich umdrehte, doch ließ er seinen Kopf gleich unter der Decke verschwinden.

Die Mutter war eine begabte Erzählerin. Sie entstammte einer Sippe, in der es eine Reihe von hervorragenden Erzählern gab. Selbst Omar ließ sich von der Stimme der Mutter beruhigen und schlummerte ein.

Die Mutter betrachtete die Reihe der Schlafenden. „Alle sind zugedeckt. Allah möge uns eine friedliche und glückliche Nacht

bescheren", murmelte sie und gähnte. Sie schob das Kopfkissen unter ihren Kopf und bald hatte auch sie der Schlaf überwältigt. Alle schliefen so tief, dass keiner den Vater bemerkte, als er spät in der Nacht aus dem Scheichzelt eintraf und sich neben seiner Frau niederließ. Er lauschte den Atemzügen der Schlafenden.
Als die ersten Lichtstrahlen und das Meckern der Zicklein die Familie am nächsten Morgen weckten, sagte der Vater schalkhaft: „Ihr alle habt ruhig und tief geschlafen. Ein Dieb hätte euch in der Nacht unbemerkt auf dem Kamelrücken davontragen können."
„Ich habe den Kindern eine Gutenachtgeschichte erzählt", antwortete die Frau.
„Ich weiß, deine Geschichten haben magische Kräfte", lachte der Mann und griff nach dem Wassersack, um sein Gesicht zu waschen.
An diesem Morgen wirkte Omar entspannter. Beim Frühstück griff er nach der Milchschale und verzehrte eine Hand voll Datteln. Während die Kinder frühstückten, molk die Mutter die Ziegen.
„Heute wird Omar wieder die Ziegenherde zur Weide führen", kündigte der Vater an und fügte hinzu: „Fatima wird ab heute auch die große Ziegenherde führen. Ihr kleiner Bruder löst sie mit den Zicklein ab. So könnt ihr euch zusammen die Langeweile vertreiben!"
Omar sprang bei diesen Worten vor Freude in die Luft und schwenkte seinen Stock. Die Eltern schauten sich viel sagend an und lächelten.

Von diesem Tag an verlagerten Omar und Fatima ihren Spielplatz vom Zeltlager auf die ferne Weide. Während die Tiere sich an den Gräsern und Kräutern gütlich taten, vertrieben sich Hirte und Hirtin die Zeit mit Sandspielen. Sand gab es in Hülle und Fülle, und es mangelte auch nicht an Spielfiguren: Kameläpfel, Ziegenperlen, Schneckenhäuser und Steine. Omar markierte mit seinem Finger im Sand die Spielfläche, während Fatima Spielfiguren sammelte. Und weil jeder beim Spielen einmal gewann und dann wieder verlor, gerieten sie nicht miteinander in Streit. Und für Langeweile war auch kein Platz.

Mit der Zeit wurden die Herden größer, denn bei der reichen Weide vermehrten sich die Tiere schnell. Auch Omar und Fatima schossen in die Höhe.

„Lass uns heute Puppen machen!“, schlug Omar eines Tages vor. „Diese Sandspiele langweilen mich allmählich.“

„Einverstanden“, erwiderte Fatima. „Ich habe Stoff, Faden und Nadel in meiner Tasche. Meine Mutter meint, ich solle das Sticken erlernen.“

„Willst du ein Hochzeitskleid sticken?“, scherzte Omar. Fatima senkte ihren Blick.

Omar erhob sich und brach von einem Strauch zwei Zweige. Dann entfernte er mit seinem kleinen Messer die Blätter.

„Aus diesem Zweig machen wir eine Braut und aus dem anderen einen Bräutigam!“, rief er.

Fatima betrachtete beide Zweige. Sie lachte.

„Was gibt es da zu lachen?“, wollte Omar wissen.

„Der Bräutigam ist kleiner als die Braut“, gab sie zur Antwort.

Omar errötete. „Dann tauschen wir die Zweige!“

„Nein!“, widersprach Fatima. „Die Zweige sollen gleich groß sein, sonst haben die beiden Schwierigkeiten beim Küssen!“
Der junge Hirte schnitt einen weiteren Zweig ab.
Drei Tage lang arbeiteten Omar und Fatima, bis die Braut und der Bräutigam fertig waren. Sie legten die Puppen nebeneinander.
„Beide sind gleich groß“, sagte Omar zufrieden.
„Ich finde, die Braut ist schöner als der Bräutigam“, stichelte Fatima.
Omar betrachtete den Bräutigam lange. „Ich weiß, was ihm fehlt. Er hat noch keinen Schnurrbart.“
„Du hast Recht“, bestätigte Fatima.
Omar schaute sich suchend nach dem Ziegenbock um. Als er nach dem Bart des Bocks greifen wollte, wehrte sich das Tier. Es schlug mit seinen Hufen aus und meckerte, so laut es konnte.
„Fatima! Halt den Bock fest!“, rief Omar. Mit vereinten Kräften gelang es den beiden, dem Bock den Bart abzuschneiden.
Fatima nähte den Bart unter die Nase des Bräutigams.
„Der Schnurrbart des Bräutigams ist zu lang“, stellte Omar fest.
„Ja, das stimmt“, bekräftigte Fatima. „So erschrickt sich die Braut vor dem Bräutigam.“
Omar begann mit dem Messer den Schnurrbart zu kürzen. Er begutachtete sein Werk. „Jetzt hat der Schnurrbart die richtige Länge. Er ist kürzer als ein Mäuseschwanz! Und nun legen wir Braut und Bräutigam nebeneinander!“
Fatima sammelte Palmwedel und bereitete das Hochzeitslager. Als Omar das Brautpaar mit seinem Kopftuch zudecken wollte,

streifte seine Hand Fatimas Brust. Behutsam ließ er seine Hand nach unten gleiten und spürte eine kleine Erhebung.
„Was ist das?", fragte Omar.
„Das ist eine Rosine!", erwiderte Fatima. Der Junge hielt die kleine Rosine zwischen Daumen und Zeigefinger fest.
„Das kitzelt", sagte das Mädchen. Es sprang hoch und versteckte sich hinter einer Palme. Omar folgte ihm. Doch Fatima war geschickter beim Rennen. Und als Omar über einen Stein stolperte, kletterte Fatima behände auf eine Palme. Während Omar sich noch bemühte, den Stamm zu erklimmen, saß Fatima bereits in der Krone, aß die süßen Datteln und ließ die Kerne auf Omars Kopf fallen.
Es dauerte eine Weile, bis Omar die Krone der Palme erklommen hatte. Er war außer Atem.
„Du brauchst mehr Kraft", scherzte Fatima und fügte hinzu: „Ich habe gehört, dass du die leckere Weizensuppe nicht gegessen hast."
„Woher weißt du das?", fragte Omar und wischte sich die Schweißperlen von der Stirn.
„Es gibt keine Geheimnisse im Zeltlager", erwiderte Fatima.
„Wer hat dir das erzählt?", hakte der Junge nach.
„Die laue Abendbrise!" Fatima lachte.
„Diese verdammte Palme!", schimpfte Omar.
Gierig stopfte er Datteln in sich hinein.
Nachdem sich beide satt gegessen hatten, betrachteten sie von der Krone der Palme aus die weidenden Herden. In der Ferne sahen sie eine Eselkarawane, die zum Brunnen zog. Ein leichter Wind kam auf und schaukelte die Krone der Palme.

„Mir wird schwindelig!“, rief Fatima. „Ich bin nicht gewöhnt, von einer Palme geschaukelt zu werden. Es ist anders als die Wiege im Zelt.“ Omar aber meinte: „Wenn die Palme uns weiter schaukelt, schlafe ich ein.“ Der Wind wurde stärker und strich durch die Palmenkrone. „Halt dich fest!“, rief Omar.
Fatima schlug ihre Arme um Omars Hals, und er umschlang die Palme mit seinen Beinen, so fest er konnte. Und mit einem Arm drückte Omar das Mädchen an seine Brust.
„Nicht so fest!“, rief Fatima. „Ich bekomme keine Luft mehr!“
„Hier oben gibt es genug Luft“, scherzte der junge Hirte.
Als sich nach einer Weile der Wind gelegt hatte, löste sich Fatima aus Omars Armen, und sie setzten sich einander gegenüber. Der Junge strich über Fatimas Brust und entdeckte eine weitere Rosine.
„Auf der Krone der Palme kannst du mir nicht wegrennen!“, triumphierte Omar und fragte sie: „Wie viele Rosinen hast du?“
„Zwei. Eine auf der rechten Seite und eine auf der linken“, erwiderte Fatima. „Hast du auch Früchte auf der Brust?“
„Meine Früchte sind kleiner als deine“, gab Omar zur Antwort.
„Zeig mir deine Früchte!“, forderte das Mädchen.
Omar öffnete bereitwillig sein Gewand. Fatima strich mit dem Mittelfinger über Omars Brust. „Du hast keine Rosinen, du hast Linsen!“, stellte sie fest.
So vergnügten sich die beiden auf der Krone der Palme. Während Fatima Omars Linsen berührte, liebkoste Omar Fatimas Rosinen. Die beiden vergaßen alles um sich herum.
Erst als die Abendsonne die Palme in ein rötliches Licht tauchte, kamen sie zu sich.

„Die Sonne steht nicht mehr am Himmel!“, rief Fatima erschrocken. „Wir müssen zurück ins Zeltlager!“ Eilig kletterten die beiden den Stamm der Palme hinab.
Sie schauten sich um, doch weit und breit waren keine Ziegen zu sehen. Omar und Fatima standen da wie angepflockt.
„Was machen wir jetzt?“, jammerte Fatima. „Was werden die Eltern sagen, wenn wir die Tiere nicht finden?“
In Omars Kopf kreisten die Gedanken. Vielleicht haben Diebe die Herden gestohlen? Oder vielleicht sind sie Wölfen und Schakalen zum Opfer gefallen! „Fatima!“, rief er. „Du läufst in Richtung des Brunnens, vielleicht haben die Tiere Durst gehabt und sind bei der Wasserstelle! Und ich laufe zu den Getreidefeldern des benachbarten Stammes. Der verdammte Bock mag die Weizenähren! Wir treffen uns in der Schlucht vor unserem Zeltlager wieder!“
Während Omar wie ein Pfeil in Richtung der Getreidefelder losschoss, lief Fatima schnell wie eine Gazelle zum Brunnen.

Mittlerweile waren alle Herden in das Zeltlager zurückgekehrt, nur die Ziegen von Omar und Fatima waren weit und breit nicht zu sehen. Vergeblich wartete Omars Mutter mit der Schale in der Hand, um die Tiere zu melken. Die Zicklein meckerten und liefen ungeduldig hin und her, denn sie waren sehr hungrig.
„Wo mag Omar bloß stecken?“, rätselte die Mutter. „Er hat sich doch noch nie verspätet!“
„Vielleicht ist ihm etwas zugestoßen?“, mutmaßte der Vater.
„Aber er ist nicht allein“, wandte die Frau ein. „Seine Kusine ist bei ihm!“

„Fatimas Herde ist auch noch nicht im Zeltlager eingetroffen“, stellte der Vater fest und fragte einen Hirten, der gerade seine Tiere zusammentrieb: „Bist du heute Omar auf der Weide begegnet?“

„Nein. Dein Sohn weidet seine Herde immer in einer anderen Ecke als ich“, gab der Angesprochene zur Antwort.

Auch Fatimas Eltern machten sich Gedanken um ihre Tochter.

„Ich bin weniger besorgt um die Ziegen, ich sorge mich um meine Tochter“, sagte die Mutter und schaute ratlos in Richtung der Weidestelle.

Langsam legte sich Dunkelheit über das Zeltlager. Bellend liefen die Hunde einer läufigen Hündin nach.

„Ihr steht tatenlos da und macht ein sorgenvolles Gesicht!“, wandte sich Fatimas Mutter an die Männer. „Reitet los und sucht die Herden!“

Die Männer griffen nach den Sätteln, besattelten die Pferde, hängten sich ihre Schwerter um die Schultern und ritten los. Ein paar Augenblicke danach waren die Reiter in der Dunkelheit verschwunden, nur die Hufe der Pferde hörte man widerhallen.

Als die Reiter sich aufmachten, hatte Fatima schon den Brunnen erreicht. Zu ihrer großen Enttäuschung fand sie keine Ziegen vor, und weit und breit war auch kein Mensch zu sehen. Fatima trank Wasser, dann wusch sie sich das Gesicht. Sie lauschte, ob sie in der Umgebung Glöckchen hören konnte. Doch überall um sie herum war es ruhig. Nur die Rufe eines Lämmchens durchbrachen die Stille der Nacht. Die Hirtin ging dem Blöken nach und fand ein Lamm, das sich in einem Gebüsch verfangen hatte.

Vorsichtig befreite sie das kleine Tier und drückte es an ihre Brust: „Wie hast du deine Mutter verloren?“ Mit der Hand strich sie dem Lämmchen über das lockige Fell. „Beruhige dich, bei mir bist du sicher!“

Während Fatima sich um das Lamm kümmerte, hörte sie Pferdehufe in der Ferne. Das Klappern der Hufe kam immer näher. Wer sind die Reiter?, fragte sich die Hirtin. Eilig verbarg sie sich im Gebüsch. Ihre Hand legte sie auf das Maul des Lämmchens: „Still! Du darfst unser Versteck nicht verraten! Wir wissen nicht, wer die Reiter sind.“

Unweit des Gebüschs ritten die Reiter vorbei. Fatima erstarrte das Blut in den Adern. Erst als sie sicher war, dass sie nicht umkehrten, traute sie sich aus ihrem Versteck. So schnell sie ihre Füße tragen konnten, lief sie, das Lämmchen fest an ihre Brust gedrückt, in Richtung der Schlucht.

Unterdessen hatte Omar die Getreidefelder erreicht. Er wollte seinen Augen nicht trauen, als er die Ziegen durch die Felder stapfen sah. Der Bock, der sich bereits satt gefressen hatte, lag wie ein Mehlsack zwischen den hohen Ähren.

„Du hast die Herde hierher geführt, du Satan!“, schimpfte Omar, als er den Fettwanst entdeckte. „Eines Tages stopfe ich dir das Maul mit Getreide, bis du nach Luft japst!“ Dabei hieb Omar auf den Bock ein, bis dieser hochsprang und davonlief.

Omar trieb eilig die Herde zusammen und machte sich auf den Weg in die Schlucht. Trotz der Stockhiebe schleppten sich die Tiere mit ihren voll gefressenen Bäuchen und den prallen Eutern nur mühsam vorwärts.

Fatima, die mittlerweile in der Schlucht angelangt war, hielt

vergeblich Ausschau nach Omar. Erschöpft ließ sie sich auf einer Steinplatte nieder und wischte sich mit dem Zipfel ihres Kleides die Tränen aus den Augen.
„Omar, wo bist du?" Sie drückte das zitternde Lämmchen fest an sich. „Ich werde deine Mutter finden", flüsterte sie dem kleinen Tier ins Ohr. Vor Erschöpfung fielen Fatima die Augen zu. Sie kam erst wieder zu sich, als sie das Schellen von Glöckchen vernahm.
„Das sind die Glöckchen meiner Ziegen!", frohlockte sie. „Omar! Omar!"
„Hier bin ich!", hörte sie die Stimme des jungen Hirten. Omar und Fatima fielen einander in die Arme.
„Wo hast du die Tiere gefunden?", stammelte Fatima.
„Mitten in den Weizenfeldern!"
„Der Stammesahn steh uns bei!", murmelte sie.
„Die Ziegen haben sich die Bäuche voll geschlagen und die Ähren niedergetrampelt", erzählte Omar.
Fatima schlug die Hände vor das Gesicht. „Was sollen wir bloß tun?", jammerte sie. Dann sah sie Omar an: „Hat dich jemand gesehen?"
„Weit und breit war niemand. Aber ich bin in Sorge, dass die Tiere uns verraten. Wenn sie morgen Weizenkörner kacken …"
„Erst einmal müssen wir für unsere Verspätung eine Erklärung finden!", hielt Fatima dagegen.
„Das ist ganz einfach", schmunzelte Omar. „Ich habe eine kluge Ausrede gefunden!"
„Heraus mit der Sprache!", unterbrach Fatima ihren Vetter.
„Wir erzählen folgende Geschichte: Auf unserer bisherigen

Weidestelle fanden die Tiere nicht mehr genug Futter, deswegen haben wir einen besseren Weideplatz aufgesucht. Die Weide war reich, doch wir haben die Entfernung unterschätzt. Wenn die Zeltbewohner die prallen Euter sehen, werden sie uns die Geschichte glauben. Siehst du nicht, wie sich diese Ziege mit ihrem Kugelbauch dahinschleppt?"

„Die Geschichte ist einleuchtend!", nickte Fatima.

Omar strich seiner Kusine sanft über den Kopf: „Die Sache mit den Rosinen und den Linsen behalten wir aber für uns!"

„Das Geheimnis bleibt im tiefen Brunnen verborgen!", versprach Fatima. „Nicht auszudenken, wenn mein Vater davon erfahren würde ...!"

Spät trafen Omar und Fatima im Stammeslager ein. Sie wurden mit vielen Fragen bestürmt: „Wo wart ihr? Warum kommt ihr so spät? Habt ihr geschlafen? Wir hatten Angst um euch!"

Gelassen und mit ruhiger Stimme trug Omar seine Geschichte vor. Seine Worte besänftigten die Gemüter. Und Fatima fügte hinzu: „Anstatt uns zu tadeln, sollte man uns loben. Wir kümmern uns nicht nur um unsere Herden, wir haben unterwegs auch noch ein Lamm aufgelesen." Das Mädchen hob das Tier hoch. „Welch herzloser Hirte überlässt so ein Lämmchen seinem Schicksal?"

„Das Lämmchen gehört zu Raschids Herde! Er suchte es heute Abend im Zeltlager", entgegnete eine Frau.

Als die Frauen nach den Eutern der Ziegen griffen, um sie zu melken, waren sie überrascht. „Wahrlich, du bist ein tüchtiger Hirte, mein Sohn!", lobte Omars Mutter. „So prall waren die Euter noch nie!"

Erst spät in der Nacht kehrten die Reiter von ihrer Suche zurück. Sie waren erleichtert, als sie die Vermissten erblickten. Verwundert hörten sie sich Omars Geschichte an.
„Wir haben die ganze Gegend durchstreift", erzählte Omars Vater. „Beim Brunnen hat ein aufgescheuchter Vogel meine Stute erschreckt. Sie scheute, und fast hätte sie mich abgeworfen! Ich hatte noch einmal Glück."
Die Frau reichte ihrem Mann den Wassersack. „Die Geschichte hat ein gutes Ende gefunden. Alle sind heil zurückgekommen. Ich werde zum Dank auf dem Grab des Stammesahns ein Tier opfern."
Als Omar am nächsten Morgen seine Herde zur Weide führen wollte, fragte ihn die Mutter: „Mein Sohn, wo ist der Bart des Ziegenbocks?"
Omar zuckte die Schultern: „Wie soll ich das wissen? Vielleicht hat er seinen Bart irgendwann eingeklemmt oder er hat Haarausfall!"
„Merkwürdig", murmelte die Mutter und wandte sich wieder ihrer Zeltarbeit zu.

Omar und Fatima kehrten immer wieder gern zu ihrer Palme auf dem Weideplatz zurück. Von Frühling zu Frühling wuchsen die Rosinen und die Linsen hatten immer mehr Mühe mitzuhalten.
Mittlerweile hatte die Hirtin die Kunst des Stickens erlernt. Ihre Stiche wurden feiner und ihre Motive waren fantasievoll. Mit Geduld und Ausdauer stickte sie an ihrem Hochzeitskleid. Nach vier Jahren Arbeit hatte sie ein wahres Kunstwerk vollbracht.

Auf dem glänzenden schwarzen Stoff rankten rote Rosen und weiße Jasminblüten, wuchsen Granatäpfel und Ähren. Bunt gefiederte Vögel, schlanke Gazellen und eine Kamelkarawane zierten die Seiten, und der Ausschnitt war bestickt mit Palmen. Fatima faltete das Kleid sorgfältig zusammen, wickelte es in ein Tuch und versteckte es unter dem Matratzenstapel.

Die Mutter, die die Stickerei betreut hatte, war stolz auf die Geschicklichkeit ihrer Tochter: „Der Mann, der dich in diesem prachtvollen Hochzeitskleid im Brautzelt in die Arme schließen wird, verlängert sein Leben um ein paar Jahre", erklärte sie.

Fatimas Gesicht errötete. Sie schwieg und knetete den Teig für die Fladenbrote. Doch die Mutter ließ nicht locker. „Hab Vertrauen, mein Kind!", sagte sie. „Mütter haben einen Schlüssel zu den Herzen ihrer Kinder!" Fatima hob den Blick: „Du weißt schon, in welche Richtung mein Herz schlägt. Ich habe nur Augen für Omar."

„Ich bin zufrieden mit deiner Wahl", sagte die Mutter. „Ich wollte nur sicher sein, dass deine Gefühle unverändert sind."

„Der Teig klebt an den Händen!", klagte Fatima.

„Nimm nicht so viel Wasser auf einmal", riet die Mutter. Sie gab der Tochter eine Hand voll Mehl aus dem Sack. „So wird der Teig gut, nicht zu klebrig und nicht zu fest."

„Hat Omar mit dir über Heiratspläne gesprochen?", setzte die Mutter das Gespräch fort.

„Nein!", erwiderte das Mädchen.

Die Mutter dachte kurz nach: „Bist du sicher, dass er dich heiraten will?"

„Soll ich ihn fragen?", schlug Fatima vor.

„Nein, meine Tochter!“, warnte die Mutter. „Es liegt an ihm, um deine Hand anzuhalten. So sind die Sitten.“
„Und wenn er es nicht tut?“
„Dann wirst du die Schlauheit deiner Mutter kennen lernen!“
Fatima schaute die Mutter fragend an.
„Man braucht viel Erfahrung im Leben“, fuhr die Mutter fort. „Mit der Zeit wirst du das auch lernen. Fatima, wenn ich von meiner Schlauheit Gebrauch mache, werde ich binnen weniger Tage Omar auf die Palme bringen!“
„Auf die Palme?“ Fatima lachte lauthals.
Die Stirn der Mutter zog sich in Falten: „Ich meine es ernst. Ich schwöre beim Barte des Propheten, dass ich ihn auf die Palme bringen kann!“
„Da hast du viel vor!“, erwiderte die Tochter. „Er ist kein guter Palmenkletterer.“
„Das überlass nur mir“, sagte die Mutter und warf dem alten Hund in der Ecke ein Stück vertrocknetes Fladenbrot zu.

Seit diesem Gespräch zwischen Mutter und Tochter war ein weiterer Frühling ins Land gezogen. Fatima war siebzehn Jahre alt geworden und ihr Vetter Omar hatte noch immer nicht um ihre Hand angehalten.
Eines Abends sagte Fatima zu ihrer Mutter: „Mutter! Die Nachbarstochter, die einen Frühling jünger ist als ich, hat sich verlobt!“
„Das weiß ich“, sagte die Mutter.
„Omar hat sich immer noch nicht gerührt“, klagte die Tochter.
Die Mutter legte ihr den Arm um die Schulter. „Ich werde ihm

auf die Sprünge helfen", versprach sie. „Du kannst dich auf mich verlassen."

Noch in derselben Nacht heckte die Mutter einen Plan aus. Nachdem das Tagewerk getan und die Kinder unter die molligen Wolldecken geschlüpft waren, lag die Mutter auf der Matratze und wartete auf ihren Mann.

Spät in der Nacht kehrte der Mann von seiner Handelsreise zurück. Er war verwundert, dass er seine Frau noch wach vorfand. Er erzählte ihr von den guten Gewinnen, die ihm seine Geschäfte eingebracht hatten, doch spürte er beim Erzählen, dass seine Frau mit ihren Gedanken abwesend war.

„Ist irgendetwas vorgefallen?", wollte der Mann wissen.

Die Frau richtete sich auf: „Du weißt, ich bin nicht mehr die Jüngste! Dieses Jahr muss ich zwei Zeltbahnen erneuern!"

„Worauf willst du hinaus?", unterbrach sie der Mann.

„Fatima könnte mir bei der vielen Zeltarbeit zur Hand gehen. Nadir kann sie doch beim Hüten der Tiere ablösen."

„Ist das alles, was dich bedrückt? Dann bleibt Fatima ab morgen im Zelt." Der Mann holte aus der Gewandtasche einen silbernen Armreif und überreichte ihn seiner Frau.

„Ein wunderschönes Geschenk!", lobte sie ihn.

Fatima, die unter ihrer Wolldecke am anderen Ende der Schlafreihe lag, hatte dem Gespräch gelauscht. Nur mühsam konnte sie ihr Lachen unterdrücken. Eine gute List, dachte sie bei sich.

Am nächsten Morgen nach dem Frühstück wandte sich der Vater an seinen Sohn: „Nadir!"

„Ich höre, Vater."

„Du bist jetzt alt genug, um die Herde zur Weide zu führen.

Deine Mutter hat viel Zeltarbeit und braucht die Hilfe von Fatima."

Halbherzig stimmte der Sohn zu.

Als der neue Hirte am Rand des Stammeslagers mit Omar zusammentraf, war dieser verblüfft: „Wo ist deine Schwester? Ist Fatima krank?"

„Nein, sie bleibt ab heute im Zelt, um meiner Mutter bei der Arbeit zu helfen", erwiderte Nadir.

Omar biss sich auf die Unterlippe. Er musterte den Jungen von Kopf bis Fuß. „Du sollst die große Herde hüten? Weißt du, wie schwer es ist, Wasser aus dem Brunnen zu schöpfen?"

„Meine Mutter sagte mir, dein Vetter kann dir behilflich sein", entgegnete er.

„Deine Mutter hat gut reden!", schimpfte Omar und trieb eine Ziege mit dem Stock vor sich her.

Seit diesem Tag verlor Omar die Freude an seiner Arbeit. Er vermisste seine Kusine Fatima. Seine Sehnsucht nach ihr wuchs von Tag zu Tag. Nach einer Woche war der Hirte des Alleinseins müde. Das Weiden ohne seine Spielfreundin war ihm langweilig. Oft saß er gedankenversunken auf einem Stein. Eines Abends wandte er sich an seinen Vater: „Ich will nicht ewig Hirte bleiben. Ich möchte anfangen, Handel zu treiben."

„Ich kann dein Vorhaben nur unterstützen", erwiderte der Vater. „Handel ist die Quelle von Reichtum. Der Prophet hat Handel getrieben." Der Vater hielt kurz inne. „Ich wollte dich schon seit einiger Zeit fragen, ob du nicht heiraten möchtest?"

Omar senkte seine Blicke und schwieg.

Der Vater spürte, dass der Sohn nicht abgeneigt war. „Du bist mein ältester Sohn. Ich möchte gern ein großes Hochzeitsfest feiern!“

„Vater, mein Herz schlägt für meine Kusine Fatima.“

„Das ist eine kluge Entscheidung“, entgegnete der Vater.

Einen Vollmond nach dem Gespräch zwischen Omar und seinem Vater wurde die Verlobung bekannt gegeben. Der Vetter hatte um die Hand seiner Kusine angehalten. Man besiegelte die Verlobung mit ein paar Versen und verteilte Süßigkeiten.

Fatima umarmte ihre Mutter und flüsterte ihr ins Ohr: „Dass deine List so schnell Wirkung zeigt, hätte ich nicht gedacht!“

Die Mutter lächelte und schloss ihre Tochter in die Arme.

Nach der Verlobung wurden Vorbereitungen für das Hochzeitsfest getroffen. Man schlug ein Festzelt für die Männer und ein zweites für die Frauen auf. Neben dem Frauenzelt stand ein kleines Brautzelt. Tagsüber veranstalteten die Männer Pferde- und Kamelrennen vor den Festzelten und abends tanzten sie im Mondlicht. Die Frauen trällerten und sangen.

Das Hochzeitsfest erreichte seinen Höhepunkt an dem Tag, an dem Fatima in das kleine Brautzelt geleitet wurde. Die Mädchen bereiteten die Braut für die Hochzeitsnacht vor. Sie wuschen Fatima und flochten ihr schwarzes Haar zu einem langen Zopf. Reifen aus Gold und Silber schmückten die Arme der Braut. Nelkenketten um ihren schlanken Hals verbreiteten betörende Düfte.

Als Fatima das bestickte Kleid überzog, war sie schön wie der Mond in seiner Fülle.

Die Frauen schmückten das kleine Brautzelt. Sie breiteten bunte

Teppiche aus und legten bestickte Kopfkissen auf das Hochzeitslager. Den Zelteingang zierte ein langes, gewobenes Band mit Fransen.

Dann wurde das Brautkamel ausgesucht. Omars Vater entschied sich für ein altes, geduldiges Kamel. „Dieses Kamel hat mir immer Glück gebracht, und bis heute hat es keinen Menschen angegriffen", sagte der Vater und schob dem alten Kamel einen Korb voll Gerste zu.

Als das Tier satt war, befestigte Omars Vater einen großen Reitkorb auf dessen Höcker. Die Mutter schmückte es mit Teppichen und bunten Stickereien. Rote Fransen zierten den langen Hals des Kamels.

Auf Geheiß des Vaters setzte sich das Brautkamel in Bewegung, um die Braut zu holen. Das gesamte Zeltlager war auf den Beinen. Die Kinder scharten sich um das Kamel und baten um Süßigkeiten. Als das Brautkamel das Zelt von Fatimas Vater erreicht hatte, ließ man es niederknien. Unter dem Trällern der Frauen bestieg die Braut den Reitkorb, und das Kamel trug sie zu dem kleinen Hochzeitszelt. Dort nahmen sie die Frauen in Empfang und geleiteten sie zum Hochzeitslager. Die Mädchen tanzten um das Lager.

Währenddessen wurde nun auch der Bräutigam vorbereitet. Eine Hand voll junger Männer, Freunde des Bräutigams, übernahm diese Aufgabe. Sie setzten ihn in die große Waschschüssel. Während einer aus dem Krug Wasser goss, seifte ein zweiter Omar ein. Ein Dritter schrubbte ihn mit der Bürste. Die anderen begleiteten das Bad mit Tänzen und Gesängen. Als sich der Bräutigam erhob, war er sauber wie eine geschälte Karotte.

Omar wurde rasiert. Schließlich rieb man ihn mit einer duftenden Salbe ein und besprühte ihn mit Rosenwasser. Dann legte man dem Bräutigam ein seidenes Gewand an, setzte ihm die Kopfbedeckung auf und befestigte den mit Perlen besetzten Dolch an seinem Gürtel.

„Unser Bräutigam ist so schön, dass der Mond vor seiner Schönheit errötet!“, bemerkte einer der Freunde.

In dieser Nacht schlachtete Omars Vater drei Schafe zu Ehren der Braut. Nachdem das große Festmahl beendet war, geleiteten die jungen Männer den Bräutigam zum Brautzelt. Der Mond, der im Herzen des Himmels stand, bestrahlte mit seinem silbernen Licht das kleine Hochzeitszelt. Und während das ganze Zeltlager tanzte und sang, schlüpfte der Bräutigam durch den Zelteingang zu seiner Braut.

So verbrachten Omar und Fatima ihre Hochzeitsnacht im kleinen Brautzelt.

Nach einer glücklichen Nacht nahmen Braut und Bräutigam am nächsten Morgen die Geschenke entgegen. Besucher aus vielen Stämmen fanden sich ein, um am großen Abschlussfest teilzunehmen. Omars Vater schlachtete ein gutes Dutzend Ziegen und Schafe zu Ehren der Gäste.

Eine Woche später wurde das kleine Brautzelt um zwei Zeltbahnen erweitert und so hatte das frisch vermählte Paar ein eigenes Zelt.

Die Verbindung von Omar und Fatima stand unter einem guten Stern. Fatima gewann das Herz der Schwiegermutter. Omar trieb Handel und seine Geschäfte florierten.

Im zweiten Frühling nach der Hochzeit gebar Fatima ihr erstes

Kind. Die alte Hebamme, die ihr bei der Geburt beistand, strich mit ihren knochigen Händen über den Bauch der Gebärenden: „Ein ebenmäßiger Bauch“, sprach die Alte. „Eine solch schöne Melone habe ich seit langem nicht gesehen.“

Als die Hebamme die Frucht aus der Melone entgegennahm, verkündete sie: „Ein Mädchen! Ein wunderschönes Mädchen!“

Die Hebamme wickelte das Neugeborene in ein Tuch und gab es Fatima. Voller Stolz betrachtete die Mutter ihr erstgeborenes Kind. „Es hat die Nase des Vaters und die Augen der Mutter!“, bemerkte sie und drückte es an ihre Brust.

Die anwesenden Frauen betrachteten das Neugeborene. Die Hebamme stopfte zufrieden ihre Pfeife und legte ein brennendes Kamelbällchen darauf. Nach dem ersten genüsslichen Zug wandte sie sich an die Wöchnerin: „Ich möchte von euch kein Geschenk für meine Hilfe. Ich habe nur einen Wunsch.“

„Was wünschst du dir?“, fragte Fatima.

„Ich möchte dem Neugeborenen den Namen geben“, erwiderte die Alte.

„Ich danke dir für den Beistand“, sagte Fatima. „Dein Wunsch soll erfüllt werden.“

Die Hebamme erhob sich und ließ sich neben dem Neugeborenen nieder. Sie strich dem Kind über den Kopf: „Du sollst den Namen ‚Amira‘ tragen!“

Die anwesenden Frauen nickten zustimmend: „Wahrlich, du hast einen passenden Namen für dieses außergewöhnlich schöne Kind ausgesucht. Amira, Prinzessin!“

Omar und Fatima waren beglückt über die Geburt von Amira. Das aufgeweckte Kind bereicherte ihr Leben. Von Frühling zu

Frühling blühte die Schönheit von Amira mehr auf. Wenn der Vater auf Handelsreisen ging, brachte er Stoffe für seine Tochter mit, und Fatima nähte daraus prachtvolle Kleider für das Kind. Doch die größte Freude, die der Vater seiner kleinen Tochter bereiten konnte, waren Granatäpfel. Das Mädchen liebte diese Früchte über alles. Noch bevor der Vater von seinem Kamel abstieg, bestürmte ihn die kleine Amira: „Wo ist die rote Frucht?"

Wie glücklich war sie, wenn der Vater in die Satteltaschen des Kamels griff und ihr einen Granatapfel überreichte. Amira hielt die Frucht zwischen ihren Händen fest und schnupperte daran. Dann rollte sie sie auf dem Teppich eine Weile hin und her. Erst nach langem Spiel schob sie sich genüsslich die roten Kerne in den Mund.

Amira gewann nicht nur die Herzen der Eltern, auch die Bewohner des Zeltlagers erfreuten sich am Anblick des Kindes. Sie war nicht nur schön, sie war auch klug.

Der Großmutter missfiel die große Aufmerksamkeit, die Amira erregte. Eines Tages sprach sie zu ihrer Schwiegertochter: „Fatima, alle Augen bewundern die Schönheit deiner Tochter!"

„Was ist daran zu beklagen?", unterbrach Fatima die Schwiegermutter.

„Höre, was ich dir sage!", erwiderte diese. „Ich bin nicht weniger stolz als du über Amira. Sie ist mein erstes Enkelkind. Doch es ist nicht gut für die Kleine, wenn sie alle Blicke auf sich zieht!

Heute, als die Kinder am Rande des Zeltlagers spielten, kam ich gerade vom Brunnen zurück. Und was sah ich? Ein fremder Reiter zügelte seine Stute und schaute wie gebannt auf Amira.

Ich hörte ihn sagen: ‚Oh Kind! Deine Schönheit blendet meine Augen! Eine wahre Prinzessin der Wüste!'"
„Ich glaube, die Großmutter ist nur eifersüchtig, dass keine ihrer Töchter so schön wie Amira ist!", lachte Fatima.
Die Gesichtszüge der Schwiegermutter wurden ernst: „Ich fürchte den bösen Blick."
Fatima wurde nachdenklich: „Was schlägst du vor?"
Die Großmutter griff in ihren Ausschnitt und förderte ein kleines Amulett zu Tage. Sie rief ihre Enkeltochter zu sich und legte ihr das Amulett um den Hals: „Ab heute sollst du dieses Amulett tragen. Es möge dich vor Krankheiten bewahren und vor Unglück schützen!", wünschte sie und drückte dem Mädchen einen Kuss auf die Wange.
An diesem Tag kehrte Omar von einer langen Handelsreise zurück. Er brachte nicht nur einen Granatapfel mit, sondern auch Geschichten. Da Omar die fernen Märkte Arabiens aufsuchte, hörte und erfuhr er viel, denn dort trafen sich Händler aus allen Himmelsrichtungen, um ihre Waren feilzubieten. Neugierig lauschte die kleine Amira den Geschichten des Vaters.
Auf dieser Reise hatte Omar einen der berühmtesten Märkte aufgesucht, um eine große Ladung gewobener Teppiche anzubieten. Das Glück stand auf seiner Seite. Bereits vor dem Mittagsgebet hatte er fast alle Teppiche verkauft. Er schaute sich auf dem großen Markt um.
Während er so vor sich hin schlenderte, zog ein Schlangenbeschwörer seine Blicke auf sich. Er saß umgeben von einer Schar Neugieriger und spielte auf seiner Flöte. Eine Schlange, schwarz wie die Nacht, reckte züngelnd ihren Kopf aus einem Korb.

Legte der hagere Schlangenbeschwörer sein Instrument zur Seite, verschwand der Schlangenkopf wieder in dem Korb.
Omar betrachtete das seltsame Schauspiel. Zuschauer warfen dem Schlangenbeschwörer Münzen zu.
Nach einer Weile wandte sich Omar ab und versuchte, sich einen Weg zu dem Stoffverkäufer zu bahnen. Er wollte für seine Frau einen feinen Seidenstoff kaufen. Kurz vor dem Stand des Händlers erblickte er eine Schar Affen. Sie gehörten einem Händler aus dem fernen Afrika. Auf sein Geheiß zeigten die Affen ihre Kunststücke. Sie sprangen über einen Kasten, balancierten auf einem Holzbalken und winkten den Schaulustigen zu.
„Kauft Affen! Kauft Affen!“, lockte der Händler die Zuschauer.
Während Omar dem Spiel gebannt zuschaute, kam der Bananenverkäufer vorbei, der ein großes Büschel Bananen auf dem Rücken trug. Im Nu stürzten sich die Affen auf die Bananen. Der Mann ließ seine Ladung fallen und rannte davon. Die Umstehenden lachten. In Windeseile hatten die Affen die Bananen weggefressen. Als der Affenhändler seine Tiere wieder eingefangen hatte, erschien der Bananenverkäufer. Wütend trat er auf den Händler zu: „Deine wilden Affen haben meine Bananen gefressen! Du musst mir dafür Münzen geben!“
Der Schwarze verzog sein Gesicht: „Münzen? Wofür?“
Der Bananenverkäufer war empört. „Bist du blind? Willst du abstreiten, was deine Affen getan haben? Einer hätte mir fast die Augen ausgekratzt!“
„Deine Augen sind unversehrt!“, schrie ihn der Affenverkäufer an. „Wegen ein paar vergammelter Bananen machst du so ein

Geschrei?" Er langte in seinen Beutel und warf dem Bananenverkäufer eine kleine Münze vor die Füße.
Nach Luft japsend griff dieser nach der Münze und schleuderte sie in hohem Bogen weg.
„Was ist hier los?", war eine tiefe Stimme zu vernehmen. Das Geschrei der Streithähne hatte den Marktaufseher auf den Plan gerufen.
Der Bananenverkäufer berichtete dem Marktaufseher, was sich zugetragen hatte: „Ich war unterwegs auf dem Marktplatz, als mich diese Herde von Affen überfiel und beinahe verletzt hätte. Sie haben alle meine Bananen gefressen."
Der Marktaufseher wandte sich sogleich an den Affenverkäufer: „Stimmt das?"
Der Händler erwiderte: „Meine Affen sind wohlerzogen. Sie können wunderbare Kunststücke vollführen und sie erfreuen die Herzen der Marktbesucher. Doch jedermann weiß, dass Affen Bananen über alles lieben. Und dieser Narr läuft mit seinen Bananen ausgerechnet an meinen Affen vorbei. Ist der Markt nicht groß genug? Er hat mir die Kunden vertrieben und jetzt bleibe ich auf meinen Affen sitzen."
Der Marktaufseher hatte aufmerksam zugehört. Er dachte kurz nach, dann sagte er: „Der Markt gehört allen. Händler und Käufer haben gleichermaßen freien Zugang zu diesem Platz. Es war ein Missgeschick." Er wiegte den Kopf hin und her. Dann wandte er sich an den Affenhändler: „Du hast nichts verloren, im Gegenteil, deine Affen sind für heute satt. Der Bananenverkäufer dagegen hat seine Ladung eingebüßt. Als Entschädigung bekommt er einen Affen."

Unwillig zog der Bananenverkäufer mit dem Affen an der Leine davon.
Amira, die der Geschichte aufmerksam gefolgt war, bat ihren Vater: „Bringst du mir von der nächsten Reise ein Äffchen mit?“
„Meine Tochter, wenn unsere Wachhunde dieses fremde Tier sehen, werden sie ihm wehtun!“, erklärte der Vater.
„Dann will ich kein Äffchen haben“, sagte sie.
Lange erfreute sich Amira an dieser Geschichte. Immer wieder musste ihr der Vater von den Affen und den Bananen erzählen.

Omar war ein geschickter Händler. Er unternahm immer weitere Handelsreisen. Allah segnete seine Geschäfte, und so wurde Omar mit den Jahren der reichste Mann des Stammes. Nur eines trübte das Leben von Fatima und Omar ein wenig: Amira blieb ihr einziges Kind. Obgleich Omar und Fatima berühmte Derwische und bekannte Hebammen aufsuchten, waren alle Bemühungen erfolglos. Fatima wurde nicht wieder schwanger. Oft saßen die Eltern in ihrem Zelt und trösteten einander: „Unsere Amira ist das schönste Kind in der Wüste!“

Es geschah während einer Winterreise, als Omar auf den fernen Märkten Arabiens weilte. Mehr als zwei Monate war er unterwegs. In diesem Winter war der Himmel über dem Stammesgebiet mit Wolken bedeckt. Es regnete heftig, an einem Tag fielen sogar Schneeflocken. Die Kinder sprangen vor den Zelten hin und her und suchten die weißen Flocken zu erhaschen. Doch der Regen, den die Zeltbewohner erst wie ein Geschenk Allahs

begrüßt hatten, wollte nicht mehr aufhören. Der Himmel schien ein großes Loch zu haben.

Der Stammesälteste, der sich schlotternd in seinen weiten Fellmantel hüllte, meinte: „In meinem ganzen Leben habe ich so einen regenreichen Winter noch nie erlebt!“

„Irgendwann geht auch dieser Winter zu Ende. Dann werden die Gräser und Kräuter sprießen und das Gesicht der Erde mit einem grünen Schleier bedecken, und die Frühlingssonne wird die Kälte aus deinen Knochen vertreiben“, munterte ihn der Scheich auf.

In den letzten Wintertagen gab es einen starken Hagelschlag. Der Wind peitschte gegen die Zelte und die Hagelkörner prasselten auf die Zeltdächer nieder wie Steine. Die Erde, die sich mit Wasser voll gesogen hatte, war nicht mehr durstig, und so bildeten sich reißende Wasserfluten, die mitunter sogar höher waren als die mittlere Zeltstange. Zahllose Tiere ertranken in den Fluten.

Fatima, die ihren alten Esel retten wollte, rannte aus dem Zelt, ihre Hände schützend über den Kopf gebreitet. Sie versuchte, den Esel vor sich herzuschieben, doch dieser war starr vor Angst. Seine Hufe versanken immer tiefer im Schlamm. Als Fatima sich bückte, um die Hufe zu befreien, überraschte sie eine hohe Wasserwoge. Samt ihrem Esel wurde sie von den Fluten mitgerissen.

Zeltbewohner, die ihr Schreien hörten, eilten mit Stangen und Seilen zu Hilfe – doch vergeblich. Die Wasserflut hatte sie in das Wadi mitgerissen, das sich in einen reißenden Strom verwandelt hatte.

„Diese Flut kann eine ganze Kamelherde mit sich reißen", sagte der Scheich, als er die Wassermassen erblickte.
Tiefe Trauer legte sich über das Zeltlager.
Nachdem der Regen endlich aufgehört hatte, machten sich Reiter auf die Suche nach Fatima. Sie ritten das Wadi entlang, bis dieses in das große Meer mündete, doch sie konnten keine Spuren entdecken. Mit leeren Händen kehrten sie zurück.

„Das große Meer hat meine Tochter verschlungen!", jammerte Fatimas Mutter. „Das Meer wird sie nie mehr freigeben!"
Einen Vollmond nach diesem Unglück kehrte Omar von seiner Reise zurück. Als er die bittere Nachricht erfuhr, erstarrte sein Gesicht. Vierzig Tage und Nächte erhob er sich nicht mehr von seinem Lager, sprach wenig und nahm kaum noch Nahrung zu sich. Der Derwisch besuchte ihn regelmäßig und gab ihm Heilmittel.
Erst nach diesen vierzig Tagen kam er langsam wieder auf die Beine. Er schlug sein Zelt ab und zog mit seiner Tochter wieder in das große Zelt seiner Eltern.
Von diesem Tag an stellte er seinen Handel ein. Immer wieder machte er sich schwere Vorwürfe: „Wäre ich nicht auf Handelsreise gewesen, hätten die Wasserfluten meine Frau nicht fortgerissen!"
Omar nahm sich viel Zeit für seine Tochter. Oft setzte er Amira auf seinen Schoß und schaukelte sie hin und her. Die Großmutter bemühte sich nach Kräften, dem Kind die Mutter zu ersetzen. Sie verwöhnte die Kleine, so gut sie es vermochte. Sie schob für Amira das größte Ei in die Asche und gab ihr Rosinen und

Datteln zu naschen. Wenn der Großvater auf seiner Stute ritt, setzte er Amira vor sich auf den Sattel.
Das Kind genoss die Aufmerksamkeit, doch immer wieder fragte es nach seiner Mutter. Über Amiras Lachen lag ein Hauch von Traurigkeit.
Auch Omar konnte den Tod seiner Frau nicht überwinden. Er schwor, nie mehr zu heiraten und keine andere Frau in seine Arme zu schließen. Die Palme auf der Weide, die Omar und Fatima als Spielplatz gedient hatte, wurde sein Lieblingsplatz. Immer wieder suchte er sie auf, lehnte seinen Rücken gegen ihren Stamm und rief sich die alten Bilder in Erinnerung.
Als Amira im zehnten Frühling war, begann die Großmutter das Mädchen in die Zeltarbeit einzuführen. Sie zeigte Amira, wie man mit Hilfe einer Spindel aus Schafwolle Fäden spinnen und wie man Teppiche weben kann. Sie brachte dem Mädchen bei, Teig zu kneten und Brot zu backen. Sie schüttete ein Häufchen Weizenmehl in die Schüssel, streute Salz darüber und goss Wasser dazu. Wenn der Teig geknetet war, pflegte sie zu sagen: „Jetzt muss sich der Teig ausruhen, meine Enkeltochter!"
Auch die Kunst, ein Feuer anzufachen, brachte ihr die Großmutter bei. Die Kameläpfel und die Ziegenperlen, die als Brennmaterial dienten, mussten trocken genug sein. Die Bällchen wurden auf die Feuerstelle getürmt, dann zerrieb die Großmutter zwei Bällchen zwischen Daumen und Zeigefinger und entzündete sie. Hatten die Kameläpfel Feuer gefangen, blies die Großmutter zunächst vorsichtig und wedelte dann mit ihrem Kleid, um die Flammen anzufachen. Erst wenn sich Glut gebildet hatte, legte die Großmutter das runde Backblech über die

Feuerstelle: „Das Feuer darf nicht zu stark sein, sonst verbrennt das Fladenbrot. Aber es darf auch nicht zu schwach sein, sonst klebt der Teig auf dem Blech", erklärte sie ihrer Enkelin.
Da Amiras Vater seit dem Tod seiner Frau die Lust am Erzählen verloren hatte und sein Vorrat an Geschichten, seitdem er keinen Handel mehr trieb, schrumpfte, übernahm die Großmutter diese Aufgabe. Abend für Abend erzählte sie ihrer Enkeltochter Geschichten.
Die Großmutter erwies sich mit den Jahren als begabte Erzählerin. Oft beendete sie eine Geschichte an der spannendsten Stelle und vertröstete Amira auf den nächsten Abend. So zog sie ihre Zuhörerin in Bann.
Manchmal, wenn die Großmutter beide Hände voll zu tun hatte und Amiras Hilfe brauchte, wusste sie das Mädchen mit Geschichten zu locken. „Amira, wenn du mir den Esel herbringst, damit ich vom Brunnen Wasser holen kann, werde ich dir heute Abend eine neue Geschichte erzählen", sagte sie dann.
Ganz schnell sprang das Mädchen auf und trieb den Esel mit dem Stock zum Zelt.
Oder in der Frühlingszeit, wenn die Großmutter mit der Milchverarbeitung beschäftigt war, versprach sie Amira: „Wenn du mir beim Melken hilfst, werde ich dir das Märchen von vorgestern zu Ende erzählen!"
So wusste die Großmutter ihre Enkeltochter mit Hilfe von Geschichten in die Zeltarbeit einzuführen. Amira zeigte viel Geschick bei den verschiedenen Tätigkeiten. Nur die Herde zur Weide führen mochte Amira nicht. Sie klagte über Kopfschmerzen, wenn man sie darum bat. Nicht einmal die spannendsten

Geschichten der Großmutter konnten diese Kopfschmerzen vertreiben. Und schließlich entlastete die Großmutter das Mädchen von dieser Aufgabe.

Amira hatte eine Vorliebe für das Tanzen. Wann immer ein Hochzeitsfest im Zeltlager gefeiert wurde, zeigte sie ihr Können. Ihr Körper war geschmeidig wie der einer Schlange. Bog sie sich beim Tanzen zurück, so reichten ihre langen schwarzen Haare bis zum Sand. Besucherinnen aus fremden Stämmen, die dem Mädchen beim Tanzen zusahen, erzählten in ihren Zelten voll Bewunderung von der Schönheit und dem Geschick dieses Mädchens. Und so kam es, dass sich die Kunde von Amira in allen Stämmen verbreitete.

Mit der Zeit wuchs die Zahl derer, die sich Amira zur Frau wünschten. Junge Männer aus fremden Stämmen ließen ihre Absichten durch ihre Schwestern kundtun, andere sandten heimlich Geschenke. Viele berühmte Scheichsöhne waren unter den Bewerbern. Ein Scheichsohn aus einem fernen Stamm, der von der Schönheit des Mädchens gehört hatte, rief einer Schwalbe im Fluge nach „Übermittle Amira die Verse des Dichters:

Als man mir deine Schönheit beschrieb,
habe ich mich in dich verliebt!
Manchmal verliebt sich das Ohr
vor dem Auge!“

Als Amira in ihrem vierzehnten Frühling war, war ihre Schönheit voll erblüht. An einem Festtag legte sie zum ersten Mal das Hochzeitskleid ihrer Mutter an. Als die Großmutter das Mädchen in dem prachtvoll gestickten Kleid erblickte, lobte sie Allah: „Der Schöpfer aller Dinge hat sich viel Zeit genommen, um Amira zu erschaffen!"

Amira, die sich auf einem Teppich vor dem Zelt niederließ und an einem Kopfkissen zu sticken begann, wirkte abwesend. Die Großmutter sah, wie ein Hauch von Traurigkeit über ihr Gesicht strich.

Plötzlich schrie das Mädchen auf und ließ das Stickzeug fallen. „Ich habe mich gestochen!", rief es und hielt einen Finger fest. Die Großmutter nahm Asche von der Feuerstelle und versuchte, das Blut zu stillen. Dann setzte sie sich neben Amira. „Meine Enkeltochter, heute ist ein Festtag, doch ich sehe dich bedrückt. Ich habe in der letzten Zeit öfters bemerkt, dass deine Gedanken weit weg sind!"

Das Mädchen schlang seine Arme um die Großmutter. „Hab Vertrauen zu mir!", fuhr die Alte fort. „Erzähl mir, was deinen Kopf beschäftigt!"

„Großmutter, ich bin kein Kind mehr."

Die Großmutter nickte. „Ich sehe, dass dir das Hochzeitskleid deiner Mutter passt." Die Alte betrachtete das Mädchen. „Hast du ein Geheimnis im Herzen?"

„Großmutter, du weißt, alle Zeltbewohner reden von mir und bewundern meine Schönheit!"

„Ist das nicht ein Geschenk Allahs?", unterbrach sie die Großmutter.

„Ja, darüber bin ich auch glücklich!“, erwiderte Amira.
„Und wo liegt dein Kummer?“, hakte die Alte nach. „Ein so schönes Gesicht wie das deine hat keinen Platz für Traurigkeit!“
Amira dachte nach. Dann sagte sie: „Es ist schlimm, wenn ein Mädchen keinen Heiratsbewerber findet, doch es ist auch nicht leicht, viele zu haben. Vierzig junge Männer wollen mich heiraten und ich kann mich nicht entscheiden.“
Die Großmutter war fassungslos: „Vierzig?“
„Du hast mich nach meinem Kummer gefragt und ich habe dir geantwortet!“
Die Großmutter griff nach ihrem Tabaksbeutel, stopfte ihre Pfeife und legte Glut darauf. Sie nahm ein paar Züge und trank drei Schälchen Kaffee nacheinander. Nach einer Weile sagte sie: „Du hast so viele Bewerber, wie meine Halskette Perlen hat!“
Die Alte hielt ihre Kette hoch. „Schau her, nicht alle Perlen sind gleich. Es gibt silberne und goldene Perlen, es gibt Perlen aus Edelsteinen und Perlen aus Glas! Erst wenn man die Kette gegen die Sonne hält, kann man die Edelsteine von den Glasperlen unterscheiden!“ Die Großmutter nahm einen weiteren Zug aus ihrer Pfeife. „Genauso ist es mit den vierzig jungen Männern, die einen taugen und die anderen taugen nicht. Du musst anfangen zu prüfen, Amira! Beim nächsten Vollmond sagst du mir, wie viele Perlen übrig geblieben sind.“
Das Mädchen fand Gefallen an dem Vorschlag.
In den folgenden Nächten lag Amira auf dem Schlaflager und dachte nach. Einige Gestalten der jungen Männer, die sie kannte, kreisten in ihrem Kopf. Andere Heiratsbewerber, die sie nur vom Hörensagen kannte, stellte sie sich in ihrer Fantasie vor.

Als der Vollmond schön und mächtig am Himmel stand, sprach Amira zu der Großmutter: „Ich habe lange nachgedacht. Von den vierzig jungen Männern sind dreißig übrig geblieben!“
„Wie hast du dich von den zehn Bewerbern getrennt?“, wollte die Großmutter wissen.
„Sieben von ihnen habe ich noch nie gesehen! Durch ihre Schwestern sandten sie mir ihre Botschaften. Zwei weitere schenkten mir Tücher und der Dritte eine Nelkenkette.“
„Das ist gut, Amira. Aber dreißig Bewerber sind immer noch zu viel! Überlege weiter, vielleicht scheidet der eine oder der andere aus“, riet die Großmutter.
Die Alte nahm zehn Perlen von ihrer Halskette und versteckte sie in einem Beutel. Als sie die Perlen ausfädelte, murmelte sie bei sich: „Welche Perle wird wohl übrig bleiben?“
Amira folgte dem Rat der Großmutter. Sie stellte Nachforschungen an über die jungen Männer, befragte andere Mädchen und rief sich die Bilder in Erinnerung. Dann wandte sie sich erneut an die Großmutter: „Ich habe noch weitere zehn Bewerber gestrichen!“
„Weshalb hast du dich von diesen jungen Männern getrennt?“, wollte die Großmutter wissen.
„Ich habe von anderen Mädchen erfahren, dass diese jungen Männer sich auch für sie interessieren.“
„Du hast recht getan!“, lobte die Großmutter. Sie nahm weitere zehn Perlen von ihrer Kette. „Du bist jetzt auf dem halben Weg zum Ziel!“, sagte die Alte und ließ die Perlen eine nach der anderen in den Beutel gleiten.
Mit der Zeit gestaltete sich das Auswählen immer schwieriger.

Amira begann, die jungen Männer in Gruppen aufzuteilen: Bewerber aus ihrer Sippe, Bewerber aus ihrem Stamm und Heiratsbewerber aus fremden Stämmen.
„Sieben junge Männer habe ich ausgeschieden!", sagte das Mädchen eines Abends zur Großmutter.
„Wie ist dir das gelungen?"
„Fünf kommen aus weit entfernten Stämmen. Wenn ich einen von denen heiraten würde, müsste ich weit weg von dir und Vater wohnen. Zwei Bewerber entstammen unserem Zeltlager. Der eine hat mich einmal angelogen, für den anderen hege ich keine Gefühle."
Die Alte zeigte sich zufrieden. „Dreizehn Perlen sind übrig geblieben an meiner Kette!"
„Für die dreizehn brauche ich mehr Zeit", sagte Amira. „Bis zum Ende des Sommers?", fragte die Großmutter.
Das Mädchen nickte.
Einige werden die Sommerhitze nicht überleben, dachte die Alte bei sich.

Die milden Frühlingstage waren zu Ende gegangen und die Sommerhitze verbrannte die letzten Frühlingskräuter. Das Getreide auf den Feldern war reif. Man schlug die Sommerzelte auf und begann die Schafe zu scheren. Die Großmutter wartete ungeduldig auf eine Antwort von Amira.
„Die Ähren werden auf dem Dreschplatz gedroschen, und das Wasser im Brunnen wird weniger. Wie hast du dich entschieden?", wandte sich die Großmutter an das Mädchen.
„Sieben Bewerber sind übrig geblieben. Zwei haben sich ver-

lobt, der Dritte ist verunglückt, zwei sind nicht klug genug, und der Sechste ist ein großer Schwätzer!"

„Jetzt bleiben nur noch sieben!", stellte die Großmutter fest. „Bis zum Herbst hast du Zeit, deine Wahl zu treffen. Bis dahin werden noch einige Blätter fallen."

Amira dachte hin und her, doch die Wahl fiel ihr schwer. Nach einiger Zeit kam sie auf eine hilfreiche Idee. Jedem der jungen Männer wies sie einen Wochentag zu: Talal den Montag, Nabil den Dienstag, Falsal den Mittwoch, Joussef den Donnerstag, Audeh den Freitag, Badr den Samstag und Khalil den Sonntag. So konnte sie die Anwärter auseinander halten und sie genau in der Reihenfolge betrachten.

Als die Frauen im Herbst die Zeltbahnen woben und das Getreide zu Mehl gemahlen war, wurden die Tage kürzer, und die Zeltbewohner stöhnten nicht mehr über die große Hitze. Die Großmutter erkundigte sich erneut bei Amira: „Der Sommer ist vorbei, wie weit bist du mit deiner Wahl?"

Das Mädchen lächelte: „Drei Bewerber sind übrig geblieben: Talal, Khalil und Nabil. Ich möchte alle drei heiraten!"

Der Großmutter stockte der Atem. Amira griff nach dem Sack und besprühte aus Übermut die Alte mit Wasser.

Die Großmutter richtete ihr Kopftuch und fragte: „Wie hast du die vier Bewerber ausgeschieden?"

„Einer von ihnen ist nicht großzügig. Der andere, ein Scheichsohn, wurde von seinem Vater zu sehr verwöhnt. Der dritte hat eine schrille Stimme und der vierte kann kein Geheimnis für sich behalten!"

Die Großmutter verschwand für eine Weile im Zeltwinkel und

kehrte mit ihrer Kette zurück. „Diese drei Perlen sind übrig geblieben. Noch nie hat eine Braut in der Wüste drei junge Männer auf einmal im Brautzelt empfangen. Bist du von Sinnen?"
„Ich kann mich nicht entscheiden", wiederholte Amira. „Vielleicht kann ich sie nacheinander heiraten!"
„Du bist so nahe am Ziel, meine Enkeltochter!", erwiderte die Großmutter. „Siebenunddreißig Perlen haben wir ausgefädelt. Du musst noch einmal nachdenken. Kommt Zeit, kommt Rat!"
Doch Amira hielt ihren Haarzopf fest. „Bis diese schwarzen Haare grau geworden sind, werde ich keine Wahl treffen können!", beharrte sie.
Die Alte fasste sich ans Kinn: „Sag mir noch einmal, wer die drei jungen Männer sind!"
„Talal, Khalil und Nabil!", erwiderte Amira.
„Talal ist aus unserer Sippe. Und wer sind die anderen beiden?"
„Khalil stammt aus dem benachbarten Zeltlager und Nabil gehört dem großen Nachbarstamm an. Er ist ein Scheichsohn!"
„Sind sie alle schön?", erkundigte sich die Großmutter.
„Einer ist schöner als der andere!", versicherte Amira.
„Schönheit allein reicht nicht! Sind sie auch klug?"
Amira nickte. „Nabil kann Verse dichten, Talal hat sich einen Namen als Sänger gemacht, und Khalil ist ein begabter Musiker", beschrieb sie die drei.
Die Großmutter vertiefte sich in ihre Gedanken. „Sie haben alle eine Gabe!", bemerkte sie nach geraumer Zeit.
„Also habe ich doch Recht!", triumphierte Amira.
„Ich werde die Sache überschlafen", sagte die Großmutter.
In dieser Nacht blieb der Schlaf den Augen der Großmutter

fern. Sie setzte sich an die Feuerstelle, rauchte eine Pfeife nach der anderen und schlürfte ein Schälchen Kaffee nach dem anderen. Immer wieder trat sie, in ihren Umhang gehüllt, vor das Zelt und betrachtete den Sternenhimmel, als erwartete sie von dort Hilfe.

Als sich langsam die Nacht von dem Tag trennte und die Morgensonne ihre Strahlen über das Zeltlager warf, erwachte Amira. Sie erschrak beim Anblick der Großmutter. Die grauen Haare waren zersaust, das Gesicht zerknittert, doch die kleinen, wachen Augen funkelten.

„Ich habe dich wie eine Tochter erzogen“, wandte sich die Alte an Amira. „Du bist das schönste Mädchen in der Wüste. Die Brautgabe muss dieser Schönheit angemessen sein!“ Die Großmutter hielt kurz inne. „Kamele, Gold- und Silbermünzen haben ihren Wert, doch sie sind vergänglich!“ Die Großmutter nestelte an ihrem Kopftuch: „Höre, Amira! Wer dich zur Frau haben will, soll nicht nur die übliche Brautgabe entrichten, er soll dir eine Geschichte erzählen!“

„Eine Geschichte?“, unterbrach Amira die Großmutter.

„Ja! Eine Geschichte“, bekräftigte die Alte und fuhr fort: „Gute Geschichten sind unvergänglich! Sie erfreuen das Herz der Menschen und werden von Generation zu Generation weitergetragen. Wer immer diese Geschichte hört, wird sich deiner erinnern!“

„Bei Allah, deine Weisheit ist groß!“, sagte Amira und umarmte die Alte.

„Vertraue deiner Großmutter, die einen reichen Erfahrungsschatz besitzt. Es ist langweilig, einen Mann zu heiraten, der in

der Nacht neben dir liegt und im Geiste seine Kamele und Goldmünzen zählt. Einer dagegen, der Geschichten zu erzählen weiß, wird dich mit Erzählen in den Schlaf wiegen. Gibt es etwas Schöneres, als Geschichten zu lauschen?"

„Du hast Recht, Großmutter! Wer die schönste Geschichte erzählen kann, soll mein Bräutigam werden!"

Die Großmutter nickte. „Gib den jungen Männern Zeit bis zum Frühling. Dann sollen sie dir ihre Geschichten vortragen!" Bis dahin vergeht noch viel Zeit, dachte die Alte bei sich und betrachtete die übrig gebliebenen Perlen.

Amira ließ den drei Bewerbern ihren Wunsch übermitteln. In diesem Winter schlug der Stamm seine Zelte ab und suchte eine Gegend mit reicherer Weide auf. Die Herden vermehrten sich und Amira wuchs eine Handbreit.

Als im Frühling die Sonne mit ihren ersten Strahlen die Erde wärmte, zog der Stamm zu seinem alten Zeltplatz zurück. Im Frühjahr, wenn das erste Grün sprießt und die Zicklein schlachtreif sind, feiert man gewöhnlich die Hochzeitsfeste. Auch in Amiras Stamm wurde in diesem Frühling ein großes Fest gefeiert. Der Scheich verheiratete einen seiner Söhne.

Das ganze Zeltlager war auf den Beinen, alles drehte sich um das große Fest. Solche Augenblicke sind günstig für Diebe und für Liebhaber. Während man vor dem großen Festzelt tanzte und sang und der Bräutigam zu der Braut in das Brautzelt geleitet wurde, trafen sich Amira und Talal heimlich im Palmenhain.

„Hier am Fuß dieser Palme will ich dir meine Geschichte erzählen", flüsterte Talal. „Von alters her ist der Palmenhain heilig."

Amira schaute sich vorsichtig um. Doch es war still im Palmen-

hain, nur von fern hörte man das Singen und Trällern. Amira lehnte ihren Rücken gegen die Palme, und Talal ließ sich ihr gegenüber im Sand nieder.
„Lass hören!“, ermunterte ihn Amira. Und Talal begann zu erzählen.

Die Meeresameisen

Es war an einem Sommertag, als der alte Razik die lange Schere zur Hand nahm, um unsere Ziegen zu scheren.
Wir Jungen mochten das Ziegenscheren aus mancherlei Gründen nicht. Während die Männer die Ziegen schoren, mussten wir die Tiere festhalten. Unsere alte Ziege war besonders ungeduldig beim Scheren, darum kam sie immer als Letzte an die Reihe. Einmal, als sie verärgert ihr Hinterteil bewegte, zerteilte die Schere ihre Schwanzspitze. Und wenn die Ziegen geschoren waren, kamen wir an die Reihe. Wir fürchteten das Haareschneiden wie die Feuersglut, denn nicht nur unsere alte Ziege hatte darunter gelitten. Wir alle hatten noch die Schreie des kleinen Ibrahim in den Ohren, dem man ins Ohrläppchen geschnitten hatte, als er sich nach einem Huhn umdrehte. Es war nicht einfach, beim Scheren ungeschoren davonzukommen.

Doch der alte Razik beruhigte uns: „Ich bin der beste Haarschneider auf der Welt. In meinem langen Leben habe ich weder Ziegenschwänze noch Ohrläppchen zerteilt!“

Razik war in der Tat ein sorgfältiger Haarschneider, doch hatte er nur zwei Haarschnitte in seinem Repertoire: den Vollmondschnitt und den Halbmondschnitt. Den Ziegen wurde der Vollmondschnitt verpasst, sie wurden kahl geschoren, denn die Ziegenhaare brauchte man allesamt für Zeltbahnen. Es war ein Schnitt, der ihre Kugelbäuche voll zur Geltung brachte. Wir Jungen dagegen bekamen den Halbmondschnitt. Razik schor uns die Seiten kahl und ließ den Rest stehen.

„Mein Halbmondschnitt ist praktisch“, pflegte er zu kommentieren. „Das kleine Dach schützt euch gegen die Sonne, und in den kahlen Seiten haben die Läuse keine Schlupfwinkel!“

Es war ein langer Tag für Razik, bis er erst die Ziegen und dann uns geschoren hatte. Am Abend hatte er Blasen an den Händen. Er freute sich darauf, im Scheichzelt gewürzten Kaffee zu schlürfen und an seiner langen Pfeife zu ziehen.

An diesem Abend lag vor unserem Zelt ein Berg von Ziegenhaaren. Beglückt prüfte meine Mutter die langen Haare, denn sie wollte eine der Zeltbahnen erneuern. Der letzte Winter hatte viel Regen gebracht und so war die hintere Zeltbahn morsch. Es tropfte auf unsere Schlafdecken.

Nachdem Razik endlich den letzten Halbmondschnitt beendet hatte, gingen wir zum Spielen. Wir machten uns aus den Ziegenhaaren Bärte, wobei die Haare der weißen Ziege besonders begehrt waren.

Meine Mutter, die uns beim Spielen beobachtete, klopfte dem

kleinen Hassan mit seinem schneeweißen Bart auf die Schulter: „Du bist jetzt der Stammesälteste! So einen langen Bart hat niemand im Stamm!“ Sie lachte: „Nun, meine Löwen, brauche ich eure Bärte! Die Zeltbahn muss lang und breit werden, damit ihr im kommenden Winter keine nassen Füße bekommt.“
Bereitwillig nahmen wir unsere Bärte ab.
Nach und nach kamen die ersten Frauen aus dem Zeltlager zu uns. Jede brachte ihre Spindel und einen Stock mit, um meiner Mutter bei der Arbeit zu helfen.
Im Licht des Vollmonds bearbeiteten die Frauen mit den Stöcken die Ziegenhaare. Sie schlugen und schlugen und die Staubwolken stiegen in den Himmel. Die Frauen begannen zu husten. Als der Vollmond über dem Zeltdach stand, legten die Frauen ihre Stöcke beiseite und nahmen Bürsten zur Hand: „Die Ziegenhaare sind sauber und fein wie Brauthaare“, bemerkte Aischa, als sie mit ihrer Bürste über das Haar strich.
„Das stimmt! Die Ziegen hatten genug Weide in diesem Jahr. Das Haar ist reich und lang“, fügte Salma hinzu.
Nachdem die Frauen das Ziegenhaar gebürstet hatten, fingen sie an es zu zupfen und rollten es dann zu Kugeln, die so groß wie Wassermelonen waren. Alte Frauen benutzten die Kugeln auch als Stütze für ihre Knie. Und wir Kinder hatten Spaß daran, diese weichen Bälle über den Sand zu rollen. Dann begannen die Frauen Fäden zu spinnen. Die Spindeln drehten sich so schnell wie Kreisel.
„Wie lang soll die Zeltbahn werden?“, fragte Chadra meine Mutter.
„Vierzig Köpfe lang. Wie die alte Zeltbahn“, erwiderte diese.

Die alte Zeinab hatte den größten Kopf im Stamm. Und so war ihr Kopf das Längenmaß für Zeltbahnen und Teppiche. Sogar Frauen aus den benachbarten Stämmen suchten sie auf, um Maß zu nehmen. Auf diese Weise bekam sie viel Besuch, und manchmal klagte sie über Kopfschmerzen: „Es ist nicht leicht, einen großen Kopf zu haben!"
Die Frauen hatten großes Vertrauen in Zeinabs Kopf, denn er war nicht zu verfälschen wie die Waage des Goldschmieds oder das Maßband des Stoffhändlers in der Stadt. Zeinab lächelte und ließ ihre Goldzähne blitzen, wenn die Frauen mit dem Maß zufrieden waren: „Zeinabs Kopf stimmt! Die neue Zeltbahn ist genauso lang wie die alte!"
Meine Mutter reichte Zeinab den Faden, den sie gerade gesponnen hatte. Die Alte wickelte den Faden ein um das andere Mal um ihren dicken Kopf. „Vierzig Köpfe! Wie die letzte Zeltbahn!", sagte sie und legte den Faden zur Seite. Zeinab kannte alle Zelte des Stammes.
Nach einer Weile nahmen Chadra und meine Mutter den Faden und legten ihn über die alte Zeltbahn. Sie zogen an beiden Enden. „Na, Zeinab, das Maß stimmt nicht! Beginnt dein Kopf zu schrumpfen?", scherzte Chadra mit der Alten.
Zeinab war erstaunt. „Das kann nicht sein. Gib den Faden her!", sagte sie und nahm erneut Maß.
„Es sind nur neununddreißig Köpfe. In meinem langen Leben habe ich mich noch nie verzählt. Das darf nicht wahr sein!", murmelte sie und schüttelte ihren großen Kopf.
Hassan begann zu prusten.
„Dieser kleine Fuchs!", schimpfte die Alte.

„Ich habe den Faden um einen Kopf kürzer gemacht“, gestand der Kleine und schlüpfte unter die Decke.
Zeinab nahm mit der kleinen Feuerzange ein glühendes Kamelmistbällchen aus dem Feuer und setzte es auf ihre Pfeife. Sie nahm ein paar schnelle Züge und blies die Rauchwolken in die Luft. Der große Kopf beruhigte sich langsam und die Frauen setzten das Spinnen fort.
„Die Zeltherrin soll uns jetzt etwas erzählen. Ich habe meinen Kopf für heute genug angestrengt“, sagte die alte Zeinab.
„Du hast Recht. Eine Geschichte wird deinen Kopf entspannen“, bekräftigte Chadra.
Die Mutter nickte. Und Hassan, der sich unter der schützenden Decke verkrochen hatte, lugte hervor.
„Der kleine Fuchs darf die Geschichte mithören“, sagte Zeinab.
Wir waren gespannt, denn meine Mutter war eine Meisterin im Erzählen.
„Zum Erzählen gehört Kaffee!“, sagte sie. „Kaffee macht den Kopf klar!“
Getrocknete Kameläpfel wurden ins Feuer geworfen. Man röstete Kaffeebohnen in der Pfanne und zerstampfte sie im Mörser, und bald thronte die alte Kaffeekanne mit dem langen Schnabel über den glühenden Kameläpfeln. Es brodelte in der Kanne und der Duft von Kaffee und Kardamom erfüllte das Zelt. Die ersten Schälchen wurden gereicht. Uns Kindern hatte Salma süßen Tee mit Nelken zubereitet.
Für eine Weile legten die Frauen die Spindeln beiseite und genossen das heiße Gebräu. Die Blicke der Anwesenden richteten sich auf die Erzählerin.

Sie schlürfte ihren Kaffee, dann begann sie:
„Ich werde euch heute die Geschichte von den Scheichs und den Meeresameisen erzählen. Beim Spinnen habe ich mich an diese Geschichte erinnert.
Wie ihr wisst, stammt der Name der Stadt Gaza von dem Wort Djzeh ab, das Wolle eines Schafes bedeutet. In Gaza werden bunte Teppiche hergestellt. Von alters her besuchen die Beduinen den großen Bazar der Stadt.
In früheren Zeiten machten die Kamelkarawanen in Gaza Halt. Sie kamen von fernen Ländern über die Weihrauchstraße, beladen mit Stoffen, Gewürzen, Kaffee, Weihrauch und noch vielen anderen Kostbarkeiten.
Kurz vor meiner Hochzeit nahm mich mein Vater einmal mit nach Gaza auf den großen Bazar. Er kaufte mir goldene Ohrgehänge und Armreifen, Stoffe aus Seide und einen Umhang.
Da habe ich zum ersten Mal das blaue Wasser des Meeres gesehen.
Vor vielen, vielen Jahren wurde in dieser Stadt ein neuer Herrscher, ein Pascha, ernannt. Als er sein Amt antrat, machte er zahlreiche Rundgänge durch die Gassen der Stadt. Er besichtigte den Hafen, das Weberviertel und auch den großen Bazar. Der Pascha war verwundert, in der Stadt so vielen Beduinen und Kamelen zu begegnen. Sie erinnerten ihn an die Zeit seiner Kindheit und an die Geschichten seiner Mutter. Oft hatte sie ihm von den Wüstensöhnen erzählt. Wenn er abends nicht zu Bett gehen wollte, hatte ihm die Mutter gedroht: „Geh zu Bett, bevor der Beduine kommt und dich verschlingt!" Und die Worte hatten gewirkt. Blitzschnell war er unter die Decke geschlüpft.

Diese Erinnerungen aus seiner Kindheit standen ihm vor Augen, als er auf dem Kamelmarkt mit den Beduinen plauderte. Gerne lauschte er den Erzählungen der Wüstenbewohner und nach und nach gewann er Vertrauen zu ihnen. Und so machte er es sich zur Gewohnheit, den wöchentlichen Kamelmarkt aufzusuchen.

Eines Tages saß der Pascha auf seiner Veranda und sprach bei sich: „Die Beduinen bringen Kamele und Schafe in die Stadt, und sie nehmen Stoffe, Kaffee und Schmuck mit sich in die Wüste. Der Handel mit den Beduinen ist für unsere Stadt wichtig. Es wäre klug, ihre Stammesführer einzuladen. Ich will sie köstlich bewirten und die Alten können mir Geschichten erzählen."

So schickte er eine Botschaft zu den Scheichs der Beduinen. Der Gesandte ritt auf seinem Maulesel von Zeltlager zu Zeltlager und tat den Scheichs die Nachricht kund.

Diese nahmen die Einladung erfreut an. „Eure Großzügigkeit ehrt uns!", ließen sie den Pascha wissen.

Der bevorstehende Besuch war ein unerschöpfliches Thema im großen Scheichzelt. Am nächtlichen Feuer überlegten die Beduinen bis spät in die Nacht, was sie dem Gastgeber zum Geschenk machen könnten.

„Das Geschenk muss ehrenhaft sein", sagte einer der Alten. „Mein Kamel hat das letzte Rennen gewonnen. So ein edles Tier wird das Herz des Paschas erfreuen."

„Was soll der Pascha mit einem Rennkamel? Soll er in den engen Gassen des Bazars ein Rennen veranstalten?", wandte ein anderer ein.

„Ich habe von meinem Urgroßvater einen Dolch geerbt. Er ist mit Silber beschlagen und mit Perlen besetzt. Der Pascha wird stolz darauf sein", schlug ein anderer vor.
„Der Pascha ist von seiner Leibwache umringt. Er trägt keinen Dolch", gab ein Scheich zu bedenken.
„Ich habe einen besseren Vorschlag", warf ein anderer ein. „Arabische Stuten werden teuer gehandelt auf den Märkten Arabiens. Meine Stute ist von edlem Geblüt, sie lässt ihren Reiter nicht im Stich. In der Schlacht hat sie mich dem Mund des Todes entrissen."
„Du bist großzügig", lobten ihn die anderen. „So ein Geschenk würde sogar einem Sultan zur Ehre gereichen."
Am folgenden Tag begannen die Reisevorbereitungen. Schläuche voll Wasser aus den Brunnen wurden in die Zeltlager geschleppt. Die Frauen machten sich ans Werk. Sie wuschen Gewänder und Kopfbedeckungen. Die Scheichs pflegten ihre Bärte und schrubbten ihre Füße. Sie flochten ihre langen schwarzen Haare zu Zöpfen und schminkten die Augen mit Kajal.
Als der nächste Tag anbrach, setzte sich eine lange Karawane von Reitern, geführt vom Oberscheich, in Bewegung.

Währenddessen ließ der Pascha seinen Koch zu sich rufen. „Mustafa!"
„Zu Diensten, Effendi!"
„Höre, wir erwarten Gäste aus der Wüste. Ich habe die Führer der Stämme zu mir eingeladen. Meine Gäste sollen auf das Köstlichste bewirtet werden!"
„Ich höre und gehorche. Ich werde meine Kochkunst beweisen.

Die Gäste des gnädigen Paschas werden sich die Finger lecken!" Er holte tief Luft: „Ein guter Koch ist nie um einen Einfall verlegen." Er verbeugte sich und ging.
Mustafa lehnte sich aus dem Fenster der Küche und ließ seine Blicke schweifen. Er betrachtete die Fischerboote und lauschte dem Rauschen des Meeres. Nachdenklich wiegte er seinen Kopf hin und her: „Womit könnte ich die Söhne der Wüste überraschen? Kamelfleisch zuzubereiten habe ich nicht gelernt, davon steht nichts in meinem Kochbuch. Und Lammfleisch haben sie zur Genüge!"
Während der Koch in seine Gedanken vertieft war, begab sich der Pascha in den Hammam. Er nahm ein Bad, ließ sich massieren und mit Duftwasser besprühen. Dann legte er ein Seidengewand an und setzte seinen Fez auf. Er ließ sich im Diwan, seinem Empfangsraum, nieder. Die Diener brachten ihm eine Wasserpfeife und der Pascha begann genüsslich am langen Schlauch zu ziehen.
Die Glut auf dem Kopf der Pfeife war noch nicht erloschen, als der Hausdiener in den Diwan gerannt kam.
„Eine Karawane! Kamelreiter kommen auf das Haus zu!", stammelte er.
„Beruhige dich, Aziz! Es sind sicher unsere Gäste." Der Pascha lächelte. „Aziz! Hat dir deine Mutter, als du klein warst, auch gesagt, du sollst zu Bett gehen, bevor der Beduine kommt und dich verschlingt?"
Aziz errötete. „Oh gnädiger Pascha! Dein Wissen ist groß!"
Inzwischen hatte die Kamelkarawane das Haus erreicht. Der Pascha erhob sich, um seine Gäste zu empfangen: „Ahlan wa

sahlan, die Gäste seien willkommen! Euer Besuch ehrt mich und meine Stadt!"
Die Kamele knieten nieder und die Scheichs stiegen ab. Der Gastgeber begrüßte einen nach dem anderen mit einem warmen Händedruck.
Danach geleitete der Pascha die Scheichs in den Diwan. Nachdem die ersten Kaffeeschälchen die Runde gemacht hatten, kam der Hausdiener außer Atem angerannt. „Effendi! Die Kamele! Sie weiden im Garten! Meine Artischocken, meine Gurken! Und fast hätte mich ein altes Kamel gebissen!"
„Sei unbesorgt, Aziz!", besänftigte ihn der Pascha. „Nimm diese Münzen und besorge Futter für die Kamele!"
Die Scheichs schmunzelten.
Der Oberscheich wandte sich an den Gastgeber: „Allah möge deine Gastfreundschaft belohnen und dir ein langes Leben schenken! Gerne sind wir deiner Einladung gefolgt. Seit alters sind unsere Stämme mit der Stadt Gaza freundschaftlich verbunden. Unsere Vorfahren besuchten den großen Bazar von Gaza und verkauften ihre Kamele und Salz. Und sie füllten ihre Satteltaschen mit Kostbarkeiten aus der Stadt." Der Oberscheich hielt kurz inne und fuhr dann fort: „Als Zeichen unserer Verbundenheit mit euch und dieser Stadt haben wir ein ehrenhaftes Geschenk mitgebracht: eine edle arabische Stute!" Und auf Geheiß des Oberscheichs führte einer der Gäste die Stute vor.
Der Pascha war beeindruckt. Die Stute hatte ein Fell wie schwarzglänzende Seide. Ihr langer Schweif berührte fast den Boden und ihre Stirn und ihre Fesseln waren weiß gezeichnet.

Der Pascha erhob sich: „Fürwahr ein ehrenhaftes Geschenk. Der edle Nacken dieser Stute wird mir Glück bringen. Ich werde sie wie meinen Augapfel hüten. Den Söhnen der Wüste sei Dank für diese Kostbarkeit!"

Während der Pascha die Stute bewunderte, sprach einer der Gäste, der Pferderichter war: „Schon mein Vater war ein Pferderichter. Er war bekannt. Er wusste über Pferde Bescheid wie kein Zweiter. Diese Stute entstammt einer berühmten Familie arabischer Pferde, den Machladeyeh. Pferde sind kostbar. Wie sagten unsere Vorfahren? Drei Dinge verleiht der Beduine nicht: seine Frau, seine Stute und sein Schwert!"

Der Pascha nickte; ein Lächeln huschte über sein Gesicht. Und der Pferderichter erzählte dem Pascha noch vieles von der Pferdezucht bei den Arabern.

Nachdem die edle Stute in den Pferdestall geführt worden war, ließ der Pascha eine neue Runde Kaffee und Süßigkeiten servieren. Eine frische Meeresbrise strich durch den Diwan und die Gäste fühlten sich zunehmend wohler.

Der alte Märchenerzähler des Stammes fing an zu erzählen und der Gastgeber lauschte mit Hingabe den spannenden Geschichten. Der Alte erzählte und erzählte; er war unermüdlich. Eine Geschichte nach der anderen fädelte er wie Perlen auf eine Kette. Die Zeit verging.

„Der Märchenerzähler hat das Herz des Paschas gewonnen!", flüsterte der Stammesrichter dem Oberscheich ins Ohr. „Der Alte schöpft aus einem tiefen Brunnen. Wenn er so weiter erzählt, kommen wir heute nicht mehr zum Essen. Mein Magen knurrt!"

„Nicht nur der deine! Hörst du nicht, wie der Magen des alten Scheichs murmelt?"

Der Erzähler hatte gerade die Geschichte von dem Weihrauchhändler beendet, als der Koch erschien. Der Stammesrichter und der Oberscheich schöpften Hoffnung.

„Das Mahl ist bereitet!", verkündete der Koch.

Der Pascha erhob sich: „Die teuren Gäste mögen sich in den Speisesaal begeben!"

Die Gäste ließen sich nicht zweimal bitten. Sie zupften an ihren Umhängen und folgten dem Pascha.

Als sie den Saal betraten, waren sie geblendet. Sie erblickten eine lange Tafel, bedeckt mit weißem Damast. Silberne Schüsseln, Silberbesteck und Teller aus goldumrandetem Porzellan schmückten die Tafel. Gebinde aus Nelken, Jasmin und Rosen erfüllten den Raum mit ihrem Duft.

Stolz legte der Gastgeber seine Hand auf die Schulter des Kochs und sprach zu den Scheichs: „Darf ich euch Mustafa, meinen Koch, vorstellen. Er hat die berühmtesten Schulen besucht. Ihr dürft gespannt sein auf seine Kochkunst!" Dann wandte der Pascha sich an den Koch: „Und nun, Mustafa, sind wir auf deine Speisen neugierig!"

Der Koch war sich seiner Sache sicher. Stolz schritt er die Tafel ab, hob da einen Deckel ab und dort einen, und die Scheichs folgten ihm einer nach dem anderen.

Der Koch erklärte: „Hier sind Hummer, dort Muscheln. Hier haben wir gebratene Seezunge und dort gegrillte Sardinen. Und das hier ist eine köstliche Suppe aus Haifischflossen." Er hielt inne. „Die Schätze des Meeres liegen vor euch!"

Das Gesicht des Gastgebers strahlte vor Stolz. Die Augen der Scheichs wurden groß wie Kaffeeschälchen, als sie die Silberschalen mit Fischgerichten sahen. Einige rümpften die Nase.
Der Pascha unterbrach die Stille: „Mustafa, du hast dich heute selbst übertroffen!"
„Dieses Menu zierte einst die Tafel eines Sultans!", sprach der Koch und machte eine tiefe Verbeugung.
Die Scheichs blieben wie angewurzelt vor einer der Schalen stehen. Der Oberscheich wandte sich an den Koch: „Woher hast du diese Schlangenbrut?"
Der Koch erstarrte. „Oh gnädiger Scheich! Das sind keine Schlangen!", stammelte er. „Es sind fangfrische Aale!" Hilfe suchend blickte er zum Pascha.
Dieser griff in die Schale und hob einen Aal hoch. „Es ist eine Delikatesse!"
Die Scheichs sahen ihn ungläubig an. Schnell nahm der Pascha eine andere Schale. „Seht diese kleinen, zarten Krebse. Sie schmecken köstlich. Ihr müsst sie probieren!"
Der Oberscheich verzog den Mund, und mit einem verächtlichen Blick auf den Koch sagte er: „Was für ein Gewürm. Wir sind Söhne der Wüste! Wir essen keine Meeresameisen!"
Stolz erhobenen Hauptes verließ der Oberscheich den Speisesaal und die Stammesführer folgten ihm. Ohne Umschweife suchten sie den Metzger auf dem Bazar auf.
„Grille diese zwei Hammel für die Scheichs!", trug ihm der Oberscheich auf. „Aber beeile dich, wir haben Hunger!"

Als die Erzählerin geendet hatte, lachte die Runde. Zeinab bewegte ihren großen Kopf hin und her. „Der Gastgeber kannte die Sitten und Gebräuche der Wüste nicht“, und sie fügte hinzu: „Der arme Koch hat es bestimmt gut gemeint!“

Nach Talal meldete sich Khalil bei Amira. Er ließ ihr ausrichten, am Rande des Stammeslagers wolle er ihr seine Geschichte erzählen.

Am verabredeten Abend verabschiedete sich Amira von den Zeltbewohnern und gab an, sie sei von ihrer Freundin Huda zum Hennafest eingeladen worden. Heimlich begab sie sich zum Fuß des nahe gelegenen Hügels.

Khalil erwartete sie bereits. „Hier, im Zelt der Träume, sollst du meiner Geschichte lauschen!“, empfing er das Mädchen.

Er hatte seinen Stock in den Sand gesteckt, seinen Umhang darüber gebreitet und die Seiten mit Steinen beschwert. Den Boden des kleinen Zeltes hatte er mit einem Teppich ausgelegt.

„Nimm Platz!“, bat er Amira und bot ihr getrocknete Feigen und Nüsse zum Naschen an.

Amira schaute Khalil erwartungsvoll an: „Lass hören, was du mir im Zelt der Träume zu erzählen hast!“

Die Ziegen des glücklichen Arabien

Zwei Jahre war der Regen dem Stammesgebiet ferngeblieben. Eines Abends versammelten sich die Männer des Stammes im Scheichzelt, um über die Dürre zu beraten.

„Diese verfluchte Trockenheit nimmt kein Ende! Meine Ziegen sind halb verhungert. Mit meiner Herde streife ich von Schlucht zu Schlucht. Es gibt kaum noch Weidegründe!", klagte ein Ziegenhirte. Ein anderer Hirte pflichtete ihm bei: „Die Tiere geben kaum noch Milch. Heute sind drei Zicklein verendet. Meine Mutter hat schon die Säckchen für den Ziegenkäse zusammengefaltet. Zwei Frühlinge sind nun vergangen, seit sie den letzten leckeren Käse für uns zubereiten konnte."

Scheich Zayed suchte die Hirten zu besänftigen: „Das Land Jemen ist berühmt für seine Fruchtbarkeit. Seit alters wird hier der Kaffeebaum angepflanzt. Es gibt reichlich Regen, Pflanzen

und Tiere gedeihen. Nicht umsonst nennt man unser Land das glückliche Arabien. Bestimmt finden wir in einer anderen Gegend Weide für unsere Herden!"
Der Stammesälteste heftete seinen Blick auf die Kundschafter des Stammes, dann sprach er: „Unsere Hoffnungen richten sich auf euch. Ihr müsst unsere Herden retten!"
Es herrschte Stille im Scheichzelt. Einer der Angesprochenen räusperte sich: „Wenn der Stamm es wünscht, werden wir nach Futterplätzen Ausschau halten."
Die Runde freute sich. „Wir werden eure Rückkehr mit großer Hoffnung erwarten", sagte der Scheich.
Die Hirten waren besonders froh über die Worte des Kundschafters. Bis spät in die Nacht unterhielt man sich über das Vorhaben.
Am nächsten Morgen sattelten die drei Kundschafter des Stammes ihre Kamele. Sie füllten die Satteltaschen mit Datteln und befestigten die Wassersäcke und ihre Waffen an den Reitsätteln. Frauen, Männer und Kinder standen vor den Zelten und beobachteten die Vorbereitungen für den Aufbruch.
Die drei Kundschafter, Hassan, Ismael und Harb, verabschiedeten sich von ihren Sippen und bestiegen ihre Kamele.
„Allah und der Stammesahn mögen eure Reise segnen! Wir werden im Zeltlager auf eine glückliche Nachricht von euch warten!", rief Scheich Zayed, als sich die Kamele in Bewegung setzten.
Die Zeltbewohner begleiteten die Reiter mit ihren Blicken, bis die kleine Karawane hinter der Schlucht verschwunden war.

Die Trockenheit beschäftigte nicht nur die Menschen, sondern auch die Tiere.
Eine Ziege klagte: „Mein Bauch ist leer, ich habe kaum noch Milch für meine Zicklein. Auch Fatima lässt mir keine Ruhe, immer wieder drückt sie meinen Euter, weil sie Milch für ihre Kinder sucht."
Eine andere Ziege, die schon betagt war, beschwichtigte sie: „Sind wir Ziegen nicht ausdauernd und genügsam?" Sie reckte ihren schlanken Hals und spuckte in weitem Bogen einen angefaulten Halm aus. „Wir sind nicht so verwöhnt wie die Schafe. Sie sind Städter und brauchen mehr Pflege und Futter! Und im Übrigen gibt es Hoffnung!", setzte sie hinzu. „Gestern habe ich die Gespräche der Männer im Scheichzelt belauscht. Die Kundschafter sind bereits auf der Suche nach einem Weideplatz."
Und der Bock bestätigte: „Ich habe die drei Reiter gesehen, als sie das Zeltlager verließen!"

Es verstrichen Tage und Wochen, und die Herden des Stammes wurden immer kleiner. Am nächtlichen Feuer beklagten die Hirten, dass die Euter der Ziegen eingefallen waren und leeren Säcken glichen. Die Kinder verlangten nach Milch, doch die Frauen konnten aus den Eutern der Tiere nichts mehr herauspressen. Die Stimmung war gedrückt.
„Wir können nichts unternehmen, solange unsere Kundschafter nicht zurückgekehrt sind. Sie kennen die Gegend. Wir müssen abwarten!", versuchte Scheich Zayed seine Stammesbrüder zu trösten.
„Bald kommt der dritte Vollmond und die Kundschafter sind

immer noch nicht zurück. Wie lange sollen wir noch warten? Meine Ziegen verenden!“, ereiferte sich ein Hirte.
„Ziegen! Du denkst nur an deine Ziegen!“, empörte sich der Sohn eines Kundschafters, und seine Augen funkelten. „Mein Vater Hassan ist mit Ismael und Harb unterwegs. Der Weg ist gefährlich. So sehr haben sich die Kundschafter noch nie verspätet. Vielleicht ist ihnen etwas zugestoßen?“
„Ruhe, mein Sohn! Geduld ist weise!“, wies der Stammesrichter den Heißsporn zurecht. „Unsere Kundschafter sind tapfere Männer und wir haben keine Blutrache zu befürchten. Bestimmt müssen sie eine lange Wegstrecke zurücklegen. Mein Vater war auch Kundschafter und er hat mir viel von den beschwerlichen Reisen erzählt. Es gilt nicht nur, tagelang im Sattel zu sitzen und die Hitze zu ertragen, man muss auch räuberische Überfälle fürchten. Bisweilen sind die Kamele müde und die Männer müssen zu Fuß gehen.“ Und der Stammesälteste, der sich gerade eine Pfeife anzündete, fügte hinzu: „Ein Kundschafter ist wie ein Händler. Er reitet von Stamm zu Stamm, er muss gut reden und klug verhandeln können. Manchmal findet er Weidegrund, doch der dortige Stamm lehnt sein Ersuchen ab. Dann muss er weiterreiten. Diese Aufgabe ist schwierig und erfordert viel Zeit, Erfahrung und Geduld. Ein Kundschafter muss die Geduld eines Kamels haben!“
„Seid unbesorgt!“, schaltete sich der Scheich ein. „Die Kundschafter sind tapfere Männer. Sie werden bald zurück sein.“
Es vergingen weitere Tage und der Stamm wartete und wartete. Eines Abends, als die Männer gedankenverloren um die Feuerstelle hockten, trat eine Frau ins Männerzelt.

„Sei willkommen und gegrüßt in meinem Zelt!“, empfing sie Scheich Zayed. „Was führt dich zu uns?“
„Heute Mittag nach der Zeltarbeit habe ich geschlafen. Im Traum sah ich meinen Mann Hassan von einer langen Reise zurückkehren. Er trug ein weißes Gewand“, berichtete die Frau.
„Dein Traum erfreut das Herz. Das weiße Gewand kündigt eine gute Weide an. Allah und der Stammesahn mögen deine Tage verlängern und deinen Traum in Erfüllung gehen lassen!“, rief der Stammesälteste.
Der Traum verbreitete sich wie ein Lauffeuer und Hoffnung kam auf im Zeltlager.
Am nächsten Tag beim Morgenkaffee, als die Sonne ihre goldenen Strahlen über die schwarzen Zelte des Stammes warf, sprach man von nichts anderem als dem Traum.
„Meine kleinen Löwen, lauft auf den Hügel und haltet Ausschau nach den Reitern!“, sagte Scheich Zayed zu den Kindern und verteilte Rosinen.
Die Kinder schwärmten aus. Die größeren liefen auf den Hügel, die kleineren häuften Steine aufeinander und kletterten auf die Steinhaufen, und die kleinsten stellten sich auf die Zehenspitzen und reckten die Hälse.
Der Scheich begann Kaffeebohnen zu rösten. „Die Kundschafter werden sich nach Kaffee sehnen. Ich kenne Ismael, er kann eine ganze Schnabelkanne leer trinken.“
Die Morgensonne stand gerade über der vorderen Zeltstange, als Reiter am Horizont auftauchten.
„Die Kundschafter! Die Kundschafter!“, riefen die Kinder und rannten zum Scheichzelt zurück.

„Bei Allah, diese Frau gleicht der berühmten Hellseherin des Jemen, Zarqa al Yamama!“, bemerkte der Stammesdichter.
Das laute Trällern der Frauen empfing die Kamelreiter. Die Hirten umringten die Ankömmlinge und bestürmten sie mit Fragen: „Was habt ihr zu berichten? Habt ihr Weidegrund gefunden?“
„Weide! Weide! Die Herden sind gerettet!“, rief Ismael und schwenkte seine Kopfbedeckung durch die Luft.
Im Nu erreichte die Nachricht alle Zeltbewohner.
Der Scheich empfing die Kundschafter in seinem Zelt.
„Unsere Herden sind gerettet. Wir sind auf reiche Weidegründe gestoßen. Die Zicklein werden groß und kräftig werden und die ausgemergelten Ziegen werden bald pralle Bäuche haben. Milch wird es in Hülle und Fülle geben!“, verkündete Hassan und streckte seine Beine aus.
Scheich Zayed griff nach der Schnabelkanne: „Ihr habt einen starken Kaffee verdient!“
Die Hirten, die ausgelassen getanzt hatten, setzten sich zu den Ankömmlingen. „Wo liegt die Weide?“, wollte ein junger Hirte wissen.
„Der Weideplatz ist weit von hier. Wir haben das Reich der Königin von Saba in allen Richtungen durchstreift und wir haben die Ruinen des Dammes von Marib überschritten. Erst nach langer Suche hat uns ein Stamm das Weiderecht in seinem Gebiet gewährt“, antwortete Harb und setzte das Kaffeeschälchen an die Lippen.
„Wann schlagen wir die Zelte ab und brechen auf?“, wandte sich der junge Hirte an den Scheich.

„Morgen früh!“, entschied Scheich Zayed und fuhr fort: „Die Kundschafter sollen sich in ihren Zelten von der beschwerlichen Reise ausruhen, damit sie morgen die Karawane anführen können.“

So begaben sich die Kundschafter zu ihren Frauen.

„Ich war in Sorge um dich“, sagte Hassans Frau, als er zu ihr ins Zelt trat.

„Die Reise war lang und hart. Die Datteln gingen zur Neige und das Wasser wurde knapp. Räuber wollten uns die Kamele abjagen, doch wir konnten sie vertreiben“, erzählte Hassan mit stolz geschwellter Brust.

„Ich werde dich mit der Bürste schrubben, dann können wir uns auf dem Lager ausruhen“, sagte die Frau und strich ihrem Mann sacht über den Haarzopf.

Die Hirten beobachteten ungeduldig den Lauf der Sonne. Der Tag erschien ihnen länger als sonst. Als die Sonne endlich am Horizont versank, atmeten die Hirten auf. Doch in dieser Nacht war an Schlaf nicht zu denken. Die Frauen sangen und die Männer tanzten. Auch die Kinder blieben auf. Die Freude über die bevorstehende Wanderschaft vertrieb den Schlaf aus den Augen.

Schon vor Tagesanbruch war das gesamte Zeltlager in Aufbruchstimmung. Allenthalben herrschte großes Treiben, Jung und Alt war auf den Beinen.

Die schwarzen Zelte wurden abgeschlagen. Zeltstangen fielen krachend zu Boden, laut bellend liefen die Hunde hin und her. Die Frauen schütteten Wasser über die tief im Boden verankerten Zeltpflöcke, um sie leichter herausziehen zu können.

Manche Kamele zeigten sich störrischer als Esel. Sie waren kaum zu bewegen, sich zum Beladen niederzuknien. Neben den Feuerstellen sah man die Alten wie Wüstenfüchse nach den versteckten Säckchen mit Goldmünzen graben.
Noch bevor die Sonne hinter den Hügeln hervorkroch und ihre ersten Strahlen auf das Zeltlager warf, setzte sich die Karawane, geführt von den Kundschaftern, in Bewegung. Den schwer beladenen Kamelen folgten die Ziegen. Die Hirten sangen oder spielten auf ihren Flöten, um die Tiere zum Laufen zu ermuntern.

So wanderte die Karawane bei Tag und lagerte in der Nacht. Der Stamm durchstreifte Sanddünen und überquerte Ebenen, ohne Weideland zu erspähen.
„Wie lange müssen wir noch laufen?", beschwerte sich der alte Ziegenbock. „Meine Beine wollen mich nicht mehr tragen. So eine weite Wanderschaft habe ich noch nie gemacht. Und das Ganze mit leerem Bauch. Während wir laufen müssen, hockt der alte Hassan auf seinem Kamel, das ist nicht gerecht!" Er hustete und ließ einen schwachen Furz, dann setzte er hinzu: „Hoffentlich hat sich der alte Kundschafter nicht geirrt!"
„Du hast es gerade nötig zu jammern!", fuhr ihn eine Ziege an. „Du musst weder Zicklein säugen noch für die Kinder von Fatima sorgen."
Von Tag zu Tag wurden die Tiere schwächer. Nur mühsam bewegte sich die Karawane vorwärts. Viele der halb verhungerten Tiere blieben am Wegrand liegen.
Einem alten Ziegenhirten rollten die Tränen über die Wangen:

„Die Wölfe und Schakale haben es gut. Hier liegen mehr Kadaver als sie verschlingen können!“
„Mein Bruder“, sagte der Stammesrichter und klopfte dem Hirten auf die Schulter. „Die Wüste hat ihre eigenen Gesetze. Sie ist hart, aber gerecht. Auch die wilden Tiere wollen leben. Jetzt lachen die Schakale, und du weinst, doch irgendwann dreht sich der Wind. Du wirst lachen und die Schakale werden heulen. Du wirst sehen, sobald wir die Weide erreicht haben, wird sich deine Herde rasch vermehren!“
Nach elf Tagesmärschen erblickten die Hirten in der Ferne grüne Weiden. Sie wollten ihren Augen kaum trauen.
„Bald sind wir am Ziel unserer Reise!“, rief Ismael von seinem Reittier herab. „Seht ihr die Bergkette?“
Wie gebannt starrten die Hirten auf das Grün. Die Frauen begannen zu trällern.
Als sie näher kamen, erkannten die Weidesuchenden die Berge des glücklichen Arabien, die gesäumt waren von zahllosen Terrassen.
„Dort hinten am Bergrücken werden wir unsere Zelte aufschlagen!“, entschied Scheich Zayed.
Als die Karawane den Berg erreicht hatte, hielt sie an. Männer und Frauen machten sich sogleich an das Aufschlagen der Zelte, während die Hirten mit ihren Herden zur Weide zogen. Beim Anblick des saftigen Grüns warf Khaled, ein junger Hirte, seine Kopfbedeckung in die Luft. „Hier werden unsere Ziegen schnell wieder zu Kräften kommen!“, jubelte er. „Auf so einem Weideplatz werden die Ziegen zweimal im Jahr werfen!“
Unterdessen begannen die Ziegen zu fressen. Eine erinnerte

sich an ihre verendeten Zicklein: „Es schmerzt mich, dass meine Zicklein diese saftigen Kräuter nicht mehr fressen können." Eine andere Ziege suchte sie zu trösten: „Du bist noch jung und wirst noch viele Zicklein werfen!" Schwere Zeiten für den Bock, dachte sie bei sich, die jungen Ziegen werden ihm keine Ruhe lassen.

Als die Zelte aufgeschlagen waren, versammelten sich die Männer im Scheichzelt. Vom Zelteingang aus betrachteten sie die weidenden Tiere. Die Ziegen kletterten immer höher in die Berge. Scheich Zayed nickte zufrieden. Er wandte sich suchend um: „Wo ist die Kaffeekanne?" Er kramte kurz in seiner Satteltasche, dann fand er sie.
Die Frauen schickten die Kinder aus, um getrocknete Ziegenperlen zu sammeln, und als genügend beisammen waren, fachte der Stammesälteste ein Feuer an. Über den glühenden Ziegenperlen röstete er in einer Pfanne die Kaffeebohnen, die er sodann in einem Mörser zerstampfte. Der Rhythmus des Mörsers, den der Stammesdichter mit seinem Gesang begleitete, hallte in den nahen Bergen wider.

Das Stampfen des Mörsers war auch im benachbarten Zeltlager zu hören. „Dieser Rhythmus ist mir fremd", bemerkte ein alter Zeltbewohner.
„Die Weidesuchenden sind da. Wir wollen die neuen Nachbarn aufsuchen und sie in unserem Stammesgebiet willkommen heißen!", sagte der Scheich.

Während der Scheich und die Stammesältesten sich auf den Weg zu den Neuankömmlingen machten, köchelte dort der gewürzte Kaffee auf dem Feuer und erfüllte das Zelt mit seinem Duft.

„Seht ihr die großen Luftblasen im Kaffee? Bald bekommen wir Besuch!", bemerkte der Stammesdichter.

Scheich Zayed und seine Männer warteten, bis der Kaffee sich in der Kanne ausgeruht hatte. Da erschienen auch schon die Gäste.

„Das ist der Scheich mit den Stammesältesten, die uns das Weiderecht auf ihrem Land gewährt haben", erklärte Hassan.

Die Männer erhoben sich, um die Gäste vor dem Zelt gebührend zu empfangen.

„Willkommen! Willkommen in meinem Zelt!", rief Scheich Zayed.

Man rollte die bunten Teppiche aus und die Besucher nahmen Platz.

„Die Luftblasen im Kaffee haben euer Kommen bereits angekündigt!", nahm der Scheich die Unterhaltung auf.

„Wir haben den Klang des Kaffeemörsers vernommen. Ihr und eure Herden seid in unserem Stamm herzlich willkommen! Wir sind gekommen, um euch nach der langen Wanderschaft zur Ankunft zu beglückwünschen", erwiderte einer der Gäste.

„Oh Bruder, dein Herz ist groß, und deine Worte schenken unseren Tieren das Leben. Wir möchten dir und deinem Stamm für die Gewährung des Weiderechts danken. Andere Stämme haben unsere Bitte abgelehnt", entgegnete Hassan, der Älteste der Kundschafter.

Inzwischen hatte sich der Kaffee in der Schnabelkanne ausgeruht. In hohem Bogen goss der Stammesälteste Kaffee in ein Schälchen, setzte es an die Lippen und trank es in drei Schlucken leer. Alle Blicke waren auf ihn gerichtet. Er nickte. „Der Kaffee ist reichlich gewürzt. Er macht den Kopf klar."

Der Kaffee wurde dann den Gästen reihum eingeschenkt. Nach dem dritten Schälchen machte jeder der Gäste ein Zeichen, dass er genug getrunken hatte. Nach den Gästen schlürften die Männer des Zeltlagers ihren Kaffee.

Ein Kind, das vom Schoß seines Vaters aus die Besucher beobachtete, fragte den Vater: „Warum trinkt jeder Gast nur drei Schälchen Kaffee?"

„So ist es Sitte", erklärte der Vater. „Das erste Schälchen ist das Gastschälchen. Hat der Besucher das erste Schälchen getrunken, so steht er unter dem Gastrecht. Das bedeutet: Der Ankömmling ist in die Gemeinschaft aufgenommen und der Gastgeber muss für das Leben und die Sicherheit seines Gastes Sorge tragen. Wird der Besucher bestohlen, haftet der Zeltinhaber für den Verlust. Der Gastgeber hat vielerlei Pflichten gegenüber seinem Besucher. Fühlt sich der Gast im Scheichzelt wohl, nimmt er das zweite Schälchen zu sich. Man nennt es das Genussschälchen. Der Gast genießt die Gastfreundschaft und die Großzügigkeit der Zeltbewohner. Dann folgt das dritte Schälchen, das Schwertschälchen. Mit diesem Schälchen verpflichtet sich der Gast, seinem Gastgeber gegenüber Verantwortung zu übernehmen. Im Falle eines Überfalls muss der Besucher mit seinem Schwert dem Zeltinhaber zur Seite stehen. Dieses Schälchen drückt das brüderliche Gefühl zwischen Gast und Gast-

geber aus. Weigert sich ein Gast, das dritte Schälchen anzunehmen, stellt er sich als Feigling bloß. Er denkt nur an seine Vorteile und will keine Nachteile in Kauf nehmen. Ein ehrenwerter Gast gibt nach dem Schwertschälchen ein Zeichen, dass er genug getrunken hat. Versäumt er diese Geste, so schenkt der Gastgeber ein viertes Schälchen nach. Man nennt es das Unverschämtheitsschälchen. Mein Sohn, ein Gast mit guten Manieren denkt nicht nur an sich, sondern auch an die anderen Gäste. Er darf die Schnabelkanne nicht allein leer trinken."

Scheich Zayed strich dem Kind über den Kopf. „Wenn ich alt bin, kannst du den Kaffee für die Gäste zubereiten."

Die Umsitzenden nickten. Einer der Gäste holte aus seiner Gewandtasche ein paar getrocknete Feigen für das Kind. Dann wandte er sich an Scheich Zayed: „Wir haben euren Kaffee getrunken. Die Kaffeekanne soll zwischen uns stehen und unsere Schwerter sollen gegen eure Feinde gezogen werden."

Die Männer unterhielten sich ausgiebig mit den Gästen über die Wanderschaft, die Weide, die Ziegen und den Kaffee.

„In unserer Gegend wird Kaffee angebaut. Am Berghügel da oben gedeihen die Kaffeebäume besonders gut", bemerkte einer der Besucher. „Die Bauern bieten den Kaffee auf dem Markt feil und wir tauschen ihn gegen Tiere ein."

Am Abend, als die Sonne hinter dem Bergrücken versunken war, kehrten die Hirten mit ihren Herden zurück. Freudig begrüßten sie die Gäste im Männerzelt: „Allah hat euren Landstrich mit Fruchtbarkeit gesegnet. Die Weide ist reich. Zum ersten Mal nach langer Zeit konnten sich unsere Tiere wieder satt fressen."

Der Scheich schlachtete drei Ziegen zu Ehren der Stammesgäste. Das Fleisch wurde in großen Töpfen über dem abendlichen Feuer gekocht.

Beim Anblick des Vollmondes, der die weidenden Tiere in ein silbernes Licht tauchte, vergaßen die Menschen die Strapazen der Wanderschaft. Den brodelnden Töpfen über dem knisternden Feuer entstiegen so verführerische Düfte, dass allen das Wasser im Mund zusammenlief. Als das Fleisch gar war, belegte man die großen runden Tabletts mit Fladenbrot, goss Brühe darüber und häufte die Fleischstücke darauf. Am Ende wurde das Gericht mit geschmolzener Butter, die mit Safran gewürzt war, übergossen. Junge Männer schulterten die Platten und trugen sie in das Scheichzelt.

„Das Essen möge euch wohl bekommen!“, wünschten die Gastgeber. Sie schoben den Gästen die zartesten Fleischstücke zu und ermunterten sie zum Zugreifen, wenn sie zu zaghaft waren. Als alle gesättigt waren, verteilte Scheich Zayed das verbliebene Essen an die Zelte.

Nach dem reichhaltigen Mahl schenkte der Scheich nochmals Kaffee aus. Dann wandte er sich an den Stammesdichter: „Wir haben gespeist und Kaffee genossen, nun soll uns deine Musik das Herz erwärmen!“

„Die Gäste seien willkommen! Tausendmal willkommen!“, erwiderte der Stammesdichter. Er nahm seine Rababa von der mittleren Zeltstange und stellte sie neben die Feuerstelle, damit die Haut sich erwärmte. Aus seiner Gewandtasche holte er ein Stückchen Harz und rieb damit die Saite ein, die aus Pferdeschweifhaaren gefertigt war. Nach einem tiefen Zug aus seiner

Pfeife begann er zu spielen. Die Töne, die er seinem Instrument entlockte, erreichten auch die Nachbarzelte. Die Frauen legten ihre Arbeit beiseite und lauschten mit gespitzten Ohren. Allmählich entspannten auch sie sich von der Arbeit und den Mühen der langen Wanderschaft.

Nach einer Weile begleitete der Stammesdichter die Melodie mit seiner Stimme. Er sang Lobgedichte auf die Gäste und ihren großzügigen Stamm, er rühmte die fruchtbare Weide und die Kaffeehaine.

So verbrachten die Gäste einen angenehmen Abend im Zeltlager. Bis spät in die Nacht lauschten sie den Klängen der Rababa und den Gedichten.

Den großzügigen Gastgeber und die Männer seines Stammes luden sie für den folgenden Tag in ihr Zeltlager ein. Dann verabschiedeten sie sich und machten sich auf den Heimweg zu ihrem Stammeslager.

Als Khaled, der junge Hirte, am nächsten Tag mit seiner Herde zur Weide aufbrach, rief ihm seine Mutter hinterher: „Mein Sohn, diese alte Ziege hier gibt keine Milch und wirft auch keine Zicklein mehr. Wenn wir Gäste zu bewirten haben, werden wir sie schlachten!"

Die alte Ziege, die diese Worte gehört hatte, bekam es mit der Angst zu tun. Ich muss besonders gutes Futter finden, damit ich wieder zu Kräften komme, dachte sie bei sich, als sie hinter den anderen Ziegen dahintrottete, sonst lande ich im Kochtopf!

Als die kleine Karawane den Berghügel erreicht hatte, machte sich die alte Ziege auf die Suche nach Futter. Sie schaute hierhin und dorthin und sprang von Fels zu Fels.

„Was ist los mit dir? Schmecken dir diese Blätter nicht?“, fragte eine junge Ziege.
„Ich bin alt und deshalb brauche ich besonders saftige Kräuter!“, erwiderte die alte Ziege.
So weidete die Herde. Der Hirte nahm seine Flöte zur Hand und begann zu spielen. Er ließ seine Augen in die Ferne schweifen, betrachtete die schwarzen Zelte des Stammes, den Rauch, der durch die Zeltlöcher quoll, und die Strahlen der Morgensonne, die das Zeltlager beschienen.
Khaled legte seine Flöte beiseite und lauschte dem Summen der Bienen, die von Blüte zu Blüte flogen. Beim Gedanken an den Honig lief ihm das Wasser im Munde zusammen. Wann hatte er zum letzten Mal eine solche Köstlichkeit genossen? Er konnte sich nicht mehr erinnern.
Während der Hirte seine Augen an den Bildern weidete, machte die alte Ziege eine seltsame Entdeckung. In einem Erdloch, halb verdeckt von einem dicken Steinbrocken, wuchs eine Pflanze, die sie in ihrem ganzen Leben noch nicht gesehen hatte. Der Strauch hatte lanzettförmige Blätter und einen dicken Stamm, von dem die Äste abzweigten. Die alte Ziege beschnupperte die Pflanze und leckte vorsichtig über die Blätter. Sie beschloss, ein wenig daran zu knabbern. Die saftigen und leicht bitteren Blätter schmeckten ihr. Und so fraß sie sich genüsslich daran satt.
Nach geraumer Zeit wurde die Ziege munter. Sie fühlte sich leicht, sprang über Stock und Stein und hüpfte umher wie ein Zicklein. Dann machte sie sich auf die Suche nach dem Ziegenbock. Der lag ausgestreckt im Halbschatten eines Felsens, die Augenlider halb geschlossen, und kaute an einem Strauch.

Die alte Ziege neckte den Bock.
„Lass mich in Ruhe!“, fuhr sie der Bock an. „Siehst du nicht, wie ich schnaufe? Ich bin nicht mehr der Jüngste.“
„Na und?“, entgegnete die Ziege. „Früher hast du gern mit mir gespielt. Jetzt hast du nur noch Augen für die jungen Ziegen!“ Sie kitzelte ihn am Hals. Ich möchte auch Zicklein werfen, sonst lande ich im Kochtopf!“
„Es ist mir egal, wo du landest!“, meckerte der Ziegenbock. „Ich habe kaum Kraft. Die Zunge hängt mir schon aus dem Hals!“
Die jungen Ziegen spitzten aufmerksam die Ohren.
„Der arme Bock! Er muss seinen Rücken gegen die Felswand stützen und diese verrückte Alte will mit ihm spielen!“, zeterte eine.
„Die Alte hat oft genug in ihrem Leben den Bock empfangen. Jetzt sind wir dran!“, schimpfte eine andere.
Während sich die jungen Ziegen über die Alte lustig machten, überkam diese eine unsägliche Müdigkeit. Ihre Glieder wurden bleiern, sie konnte sich kaum noch auf den Beinen halten. Mühsam schleppte sie sich in den Schatten einer Palme und streckte alle viere von sich. Sie versuchte aufzustehen, doch vergeblich. Ihre Beine trugen sie nicht mehr.
„Gerade war sie doch noch so munter!“, höhnten die jungen Ziegen voller Boshaftigkeit.
Eine Ziege, die Mitleid hatte, beugte sich über die Alte: „Was ist los mit dir? Bist du etwa krank, oder hast du dich nur geärgert, weil der faule Bock nicht mit dir spielen wollte?“
„Ich fühle mich wohl. Es ist nur eine vorübergehende Schwäche“, antwortete die alte Ziege.

„Wenn der Hirte aufwacht und dich so liegen sieht, wirst du nicht mehr viele Tage vor dir haben!“, mahnte die junge Ziege. „Mach dir keine Sorgen!“, entgegnete die Alte. „Ich komme schon wieder zu Kräften. Hörst du nicht, wie der Hirte schnarcht?“ Über die geheimnisvolle Pflanze ließ sie kein Wort verlauten.

Gegen Abend, als nur noch die Berggipfel von den Sonnenstrahlen beschienen wurden, machte sich der Hirte mit seiner Herde auf den Heimweg. Verwundert bemerkte er, wie die alte Ziege hin und her sprang und den Bock bedrängte. Doch dieser zeigte ihr nur die kalte Schulter.

In dieser Nacht schlich sich die alte Ziege zu dem Bock. Vorsichtig kletterte sie über ein Zeltseil und bahnte sich sachte einen Weg, um die anderen Tiere nicht aufzuwecken. Wenn ich ihn von dem geheimnisvollen Kraut fressen lasse, kann er vielleicht mit mir spielen, dachte sie bei sich.

In einer Mulde, etwas abseits von den anderen Ziegen, entdeckte sie den Bock. Er schlief tief und fest. Mit ihren Hörnern kitzelte sie ihn am Hintern. Der Bock schrak auf. Als er die alte Ziege erblickte, wurde er wütend: „Gönnst du mir nicht einmal meine Nachtruhe?“, murrte er und drehte sich auf die Seite. „Wie hast du überhaupt mein Versteck gefunden?“

„Meine Nase ist deinem Gestank gefolgt!“, antwortete die alte Ziege und fuhr fort: „Ich will nichts von dir. Ich möchte dir nur ein großes Geheimnis anvertrauen.“

„Geheimnis?“ Der Ziegenbock reckte seinen Hals. „Welches Geheimnis?“

„Ich habe eine Pflanze entdeckt, die leckerer schmeckt als alles,

was ich in meinem ganzen Leben gefressen habe. Höre! Du bist auch nicht mehr der Jüngste. Du brauchst Kräuter, die deine Kräfte stärken. Wenn du mit mir spielst, werde ich dir diesen wundersamen Strauch zeigen. Keine andere Ziege weiß von dieser Pflanze. Nicht einmal der Hirte kennt sie."

Der Bock war plötzlich hellwach. „Spanne mich nicht auf die Folter! Was ist das für eine Pflanze? Ich platze vor Neugier!", meckerte er.

„Nicht so laut!", schimpfte die Ziege. „Willst du die ganze Herde aufwecken?" Sie senkte ihre Stimme: „Versprichst du mir, dass du keiner anderen Ziege davon erzählst?"

Der Bock nickte.

„Dann werde ich dir morgen diese leckere Pflanze zeigen."

„So leg dich jetzt neben mich und lass uns schlafen", sagte der Bock und gähnte.

Am nächsten Morgen auf dem Weg zur Weide hüpfte die alte Ziege ausgelassen um den Bock herum und dieser schaute ihrem Treiben wohlwollend zu. Dann besprang er sie.

Die jungen Ziegen wollten ihren Augen nicht trauen, als sie das Schauspiel beobachteten. „Hast du noch nicht genug Nachkommen?", schalten sie die Alte. „Jetzt sind wir an der Reihe!"

Doch die alte Ziege ließ sich nicht beirren.

Der Hirte betrachtete die Sprünge des Bocks mit Genugtuung. Bald werde ich wieder eine große Herde haben, dachte er bei sich.

Auf der Weide angekommen, lockte die alte Ziege den Bock zu ihrem Versteck. Er folgte ihr über Geröll und Felsvorsprünge, bis sie das Erdloch erreichten.

„Diese Pflanze ist auch mir neu“, sagte der Bock und schnupperte an dem Strauch. Dann begannen beide zu fressen. Nach einer Weile mahnte die alte Ziege den Bock: „Friss nicht zu viel auf einmal, sonst bekommst du Durchfall!“

Die beiden kehrten zur Herde zurück. Es dauerte nicht sehr lange, bis der Bock ebenso munter wurde wie die Ziege. Ausgelassen sprang er hin und her, neckte die alte Ziege und spielte mit ihr.

Der Hirte rieb sich die Augen. Die Alte springt, als ob sie Pfeffer im Hintern hätte, und auch der Bock macht hohe Sprünge. Merkwürdig, dass er nicht den jungen Ziegen nachläuft, dachte er bei sich.

Nach geraumer Zeit wurden die Ziege und der Bock schlapp. Sie legten sich in den Schatten einer Palme und fielen in seligen Schlummer.

„Verstehe mir einer diese Tiere!“, murmelte Khaled.

Als die alte Ziege in dieser Nacht den Bock aufsuchte, vertrieb er sie mürrisch. „Es reicht!“, schimpfte er. „Den ganzen Tag habe ich nur mit dir verbracht. Die jungen Ziegen sind mir deinetwegen böse.“ Der Bock drehte sich unwillig zur Seite und begann zu schnarchen.

Am nächsten Tag geschah, was die alte Ziege befürchtet hatte. Der Bock konnte kein Geheimnis für sich behalten. Auf der Weide angekommen, pirschte er sich an seine Lieblingsziege heran: „Sei mir nicht böse“, flötete er ihr ins Ohr. „Mit der alten Ziege habe ich doch nur gespielt, weil sie mir ein Geheimnis verraten hat. Sie hat nämlich ein Kraut entdeckt, das wunderbar schmeckt.“

„Du lügst! Wenn die Böcke nicht mehr springen können, fangen sie an zu lügen“, erwiderte die Lieblingsziege schnippisch.
„Ich lüge nicht! Wenn du nett zu mir bist, verrate ich dir das Geheimnis. Ich verjage die Alte und wir zwei fressen allein von dem Kraut. Dann können wir zusammen spielen.“
Die junge Ziege zeigte sich versöhnt und so führte der Bock sie zu dem geheimnisvollen Strauch. Er drängte die alte Ziege mit seinen Hörnern zur Seite und machte sich mit seiner Lieblingsziege über die Blätter her. Vor lauter Gier lief ihm der Speichel aus dem Maul. Er hielt erst inne, als er Bauchgrimmen verspürte.
„Du Dummkopf! Habe ich dich nicht gewarnt, zu viel auf einmal zu fressen?“, meckerte die alte Ziege schadenfroh. „Aber so ein Gierschlund wie du ...!“
„Halt die Klappe!“, brüllte der Bock.
„Hättest du besser das Maul gehalten! Wenn erst einmal alle in das Geheimnis eingeweiht sind, bekommen wir diese Blätter nicht mehr zwischen die Zähne! Du hast dein Versprechen nicht gehalten!“
Der Bock nahm ihre Warnung nicht ernst. Jeden Tag erzählte er einer anderen Ziege von dem Geheimnis, ging mit ihr fressen und spielen. Und so kam es, dass am Ende die ganze Herde den wundersamen Strauch kannte.

Eines Tages, als Khaled wie gewöhnlich im Schatten der Palme sein Mittagsschläfchen hielt, schreckte er auf. Ein Zicklein war mit einem Bocksprung auf seinem Bauch gelandet. Der Hirte rieb sich verschlafen die Augen. Er sah die gesamte Herde, ob

jung oder alt, munter hin und her springen. Die Ziegen meckerten laut, einige machten hohe Luftsprünge. Khaled beobachtete die Tiere aufmerksam.
Nach geraumer Zeit schienen die Tiere müde zu werden. Sie streckten sich im Schatten der Palmen aus und bald vernahm der Hirte nur noch ein regelmäßiges Schnaufen.
Khaled verstand die Welt nicht mehr. Was war nur los mit seinen Ziegen? Erst waren sie lebhaft, wie er sie noch nie zuvor gesehen hatte, und dann lagen sie schlapp auf dem Boden. Lange dachte Khaled nach, doch er konnte das Rätsel einfach nicht lösen.
Nach der Rückkehr ins Zeltlager erzählte der Hirte seiner Mutter von der seltsamen Begebenheit.
„Mein Sohn!“, sagte die Mutter. „Die Ziegen sind einfach glücklich über die neue Weide. Hast du schon vergessen, wie ausgehungert sie waren?“
„Das allein kann es nicht sein!“, widersprach Khaled.
Die Mutter strich ihm über den schwarzen Haarzopf. „Als deine Ziegen eingefallene Bäuche hatten, hast du geweint, und jetzt beschwerst du dich, dass sie tanzen!“ Die Mutter lachte. „Hast du heute eine starke Zigarette gedreht? Vielleicht warst du glücklich und nicht die Ziegen!“
„Ich schwöre bei der Seele des Stammesahns, dass ich heute nicht geraucht habe!“
Die Mutter dachte nach, dann sagte sie: „Sehen wir mal, ob deine Ziegen morgen auch so lebhaft sind. Hier, trink deine Milch und iss das knusprige Fladenbrot. Dann kannst du dich auf dem Teppich ausruhen.“

In dieser Nacht fand Khaled kaum Schlaf. Unruhig warf er sich auf dem Teppich hin und her.
Beim ersten Sonnenstrahl wollte er mit der Herde schon aufbrechen, doch die Mutter hielt ihn zurück. „Wenn die Ziegen noch feuchtes Gras fressen, bekommen sie Durchfall", mahnte sie ihn.
Als die Sonne ihre wärmenden Strahlen über das Zeltlager warf und die Nebelschwaden sich aufgelöst hatten, zog Khaled mit seiner Herde los.
Auch an diesem Tag wiederholte sich das Schauspiel vom Vortag. Erst tanzten die Ziegen, dann torkelten sie, und am Ende lagen sie, prallen Mehlsäcken gleich, auf dem Boden.
Khaled schlug sich mit der Hand vor die Stirn. Gedanken schossen ihm durch den Kopf. „Ich habe keine Zigarette geraucht, ich bilde mir das Ganze doch nicht ein! Ist diese Weide verzaubert?"
Der Hirte vermochte das Geheimnis nicht zu lüften. Am Abend erzählte er der Mutter, was seine Augen gesehen hatten.
Die Mutter hob ihre geöffneten Hände und richtete ihre Augen zum Himmel. „Allah und der Stammesahn mögen unsere Herde vor dem Dämon schützen! Und dich, mein Kind, vor dem bösen Blick!", flüsterte sie.
Auch in der folgenden Nacht tat der Hirte kein Auge zu. „Ich möchte so glücklich sein wie meine Ziegen!", wünschte er sich. Er überlegte hin und her. „Es muss an dem Weideplatz liegen. Morgen werde ich meine Tiere zu einer anderen Stelle führen und sehen, ob sie sich dort auch so merkwürdig aufführen!"
Am nächsten Morgen schlug Khaled einen anderen Weg ein. Die Ziegen folgten ihm nur zögerlich.

Auf dem neuen Weideplatz angekommen, sagte die alte Ziege zu sich: „Der Hirte hat den Weideplatz gewechselt. Hier gibt es keine leckeren Blätter. Und das alles, weil der dumme Bock kein Geheimnis für sich behalten kann!“

Die Ziegen kauten lustlos an den Sträuchern. Ihre Bäuche waren halb leer, als der Hirte sie am Abend wieder ins Zeltlager führte.

Als er seiner Mutter von der neuen Weide erzählte, lachte sie: „Siehst du, mein Sohn, deine Ziegen sind ganz gesund. Heute hast du wohl keine Zigarette gedreht!“

Am Tag darauf, auf dem alten Weideplatz, war der Hirte wachsam. Diesmal hielt er keinen Mittagsschlaf. Er beobachtete die Tiere aus dem Augenwinkel und wartete ab.

Der Bock lief als Erster zu dem Strauch. Khaled, der dem Tier leise gefolgt war, versteckte sich hinter einem Felsen. Er sah, wie der Bock von einem Strauch grüne Blätter fraß, und es dauerte nicht lange, bis er zu springen und zu tanzen begann.

Der Hirte trat näher. „Es muss diese Pflanze sein, die so eine wundersame Wirkung hat.“ Er ließ die Blätter durch seine Finger gleiten. „Noch nie habe ich diesen Strauch gesehen. Was den Ziegen gut tut, wird dem Hirten wohl nicht schaden.“ Er begann, die grünen Blätter zu kauen.

Khaled musste nicht lange warten, bis er die Wirkung verspürte. Er fühlte sich leicht wie ein Vogel. Er setzte einen Fuß vor den anderen, hüpfte von Stein zu Stein und tanzte wie seine Ziegen. Dann bekam er Durst und trank aus seinem Wassersack. Eine Weile noch war er hellwach, seine Augen glänzten. Doch dann spürte er, wie seine Glieder schwer wurden. Gäh-

nend legte er sich neben seine Ziegen in den Schatten der Palme, streckte alle Glieder von sich und fiel in tiefen Schlummer.
Als der Hirte erwachte, wusste er nicht, wie viel Zeit verstrichen war. Er schaute nach der Sonne und sah, dass sie sich bald dem Horizont zuneigte. Er musste also lange geschlafen haben. Khaled sprang auf und trieb seine Herde zur Eile an. Er konnte es kaum erwarten, seiner Mutter von dem Erlebnis auf der Weide zu erzählen.
Dieses Mal unterbrach die Mutter die Zeltarbeit und hörte dem Sohn aufmerksam zu. Als er geendet hatte, sagte sie zu ihm: „Mein Augapfel, deine Geschichte ist seltsam. Ich bin neugierig. Bring mir doch morgen ein paar Blätter von dieser Wunderpflanze!“
Der Hirte ließ sich dies nicht zweimal sagen. Gleich am nächsten Tag packte er einige Blätter in seinen Tabaksbeutel, bevor er sich auf den Rückweg machte. Am späten Abend, als es ruhig war im Zeltlager, überreichte Khaled seiner Mutter die Blätter. Sie betrachtete sie im Mondlicht.
„Diese Pflanze sehe ich zum ersten Mal“, bestätigte die Mutter. „Wie isst du sie?“
„Ich kaue sie, wie die Ziegen das Gras kauen.“
Blatt für Blatt schob die Mutter in den Mund und zerkaute sie. Dann bekam sie Durst und griff zu dem Wassersack. Kurze Zeit später überkam sie ein wohliges Gefühl.
„Mein Sohn! So munter war ich seit vielen, vielen Jahren nicht mehr. Ich erinnere mich der alten Tage, als ich mit deinem Vater auf der Weide gespielt habe. Allah möge seiner Seele gnädig sein!“

„Du wolltest mir nicht glauben!“, trumpfte Khaled auf.
„Du hast Recht, mein Augenschein. Dieser Saft wirkt Wunder. Er belebt die alten Knochen und macht das Herz jung!“
Während die Mutter mit glänzenden Augen von der Vergangenheit träumte, streckte die Nachbarin ihren Kopf ins Zelt.
„Willkommen! Willkommen!“, begrüßte die Mutter sie.
Die Nachbarin schaute sie mit großen Augen an. „Hast du ein Pfeifchen geraucht?“, erkundigte sie sich neugierig. „So frisch habe ich dich seit langem nicht mehr gesehen!“
„So alt bin ich auch noch nicht“, entgegnete die Mutter lachend. „Ich fühle mich wohl. Ich will dir ein Geheimnis verraten!“ Sie tuschelte der Besucherin ins Ohr: „Mein Sohn hat mir von der Weide ein Wunderkraut mitgebracht. Seit ich die Blätter gekaut habe, fühle ich mich um Jahre jünger!“
„Was sagst du da? Blätter?“
„Ja, saftige Blätter! Sie schmecken ein wenig bitter, aber ihre Wirkung ist wunderbar!“, versicherte die Mutter.
Die Nachbarin ließ nicht locker, bis ihr der Hirte die Geschichte haarklein erzählt hatte.
„Mein Junge!“, sagte die Nachbarin. „Du solltest deine Geschichte im Scheichzelt erzählen. Du wirst viele offene Ohren finden.“ Ein verschmitztes Lächeln huschte über ihr Gesicht. „Ich möchte meinen Alten auch so munter erleben wie deine Mutter!“
Khaled folgte ihrem Rat. Eilig begab er sich ins Scheichzelt. Dort berichtete er in der Runde von der Entdeckung seiner Ziegen.
Die Männer horchten auf. Der Stammesälteste sagte: „Halte die

Ziegen von dem Strauch fern und bringe uns von den Blättern mit. Wir sind neugierig, ob das Wunderkraut hält, was es verspricht!“

Als der Hirte zu seiner Mutter ins Zelt zurückkehrte, fand er sie in tiefem Schlaf.

Am Tag darauf verscheuchte Khaled die Ziegen von dem Strauch und füllte seine Gewandtasche mit den Blättern.

Die alte Ziege, die alles genau beobachtete, gab dem Bock einen Tritt in den Hintern. „Jetzt haben wir die Bescherung. Habe ich dir nicht gesagt, du sollst das Geheimnis hüten? Aber ein Bock, der nach jungen Ziegen lechzt, kann natürlich sein Maul nicht halten!“

„Du hast ja Recht!“, gab der Bock kleinlaut zu. „Aber ich wollte den jungen Ziegen auch eine Freude gönnen!“

„Freude! Bald ist es aus mit der Freude. Du wirst sehen, der Hirte wird uns von der Weidestelle vertreiben!“, polterte die alte Ziege und wackelte bedenklich mit dem Schwanz.

Am Abend im Scheichzelt leerte Khaled seine Gewandtaschen. Im Schein des Feuers begutachteten die Männer diese merkwürdigen Blätter.

„Wir werden sehen“, sagte Scheich Zayed. Er griff als Erster zu und bald hatte jeder in der Runde ein paar Blätter zwischen den Zähnen. Der Wasserkrug machte seine Runde. Nach einer Weile strahlten die Augen des Scheichs. „Männer, ich fühle mich jung und stark wie ein Kamel in seinem vierten Jahr! Der Saft erfreut das Herz!“

Hinter dem Vorhang im Frauenabteil des Zeltes lauschten die Frauen aufmerksam.

„Der Scheich lebt auf!“, bemerkte eine.
„Hoffentlich hält diese Munterkeit bis spät in die Nacht vor!“, scherzte eine andere.
Die Männer waren guter Dinge. Sie erzählten sich viele Geschichten.
„Jetzt sind nicht nur unsere Ziegen glücklich, wir sind es auch!“, freute sich der Stammesdichter. Und Scheich Zayed fügte hinzu: „Diese Gegend ist wunderbar. Hier finden nicht nur die Ziegen ihre Weide!“
Die Runde lachte.
Die Männer scherzten noch eine Weile, dann wurden sie müde. Einer nach dem anderen lehnte sich in die Kissen.
Am nächsten Morgen ging es dem Stammesältesten schlecht. Den ganzen Tag über pendelte er zwischen der Schlucht und dem Männerzelt hin und her.
„Was ist los mit dir, Bruder?“, erkundigte sich der Stammesrichter.
„So ein Durchfall!“, stöhnte der Alte. „Die Brühe läuft mir über die Beine. Es ist nicht auszuhalten!“
Immer wenn der Alte, begleitet von einer Schar Fliegen, zur Schlucht rannte, gab es lauten Beifall im Männerzelt. „Heute hat der Alte die Schlucht erobert! Seht ihr nicht, wie er läuft? Wie ein Rennkamel!“, scherzte der Stammesdichter.
Als der Stammesälteste bei Anbruch der Dunkelheit noch immer nicht zur Ruhe kam, machten sich die Zeltbewohner Sorgen.
„Was hast du gegessen?“, fragte der Derwisch.
„Ich habe Hammelfleisch gegessen wie ihr alle.“

„Hast du viel von den Blättern gekaut?“, wollte der Derwisch wissen.
„Gekaut? Ihr wisst doch, dass ich keine Zähne mehr habe. Ich habe sie in kleine Stücke gerissen und geschluckt!“
„Vielleicht geht es dir deswegen schlecht?“, mutmaßte Scheich Zayed. „Wir haben die Blätter gekaut und nur den Saft geschluckt. Nur die Ziegen fressen die Blätter ganz!“
Seit diesem Vorfall achtete man darauf, nur ja kein Blatt zu verschlucken. Man zermahlte die Blätter mit den Zähnen, schob sie in die Backe und sog den Saft daraus. Dann spuckte man den Brei wieder aus. Um den Durst zu stillen und den Mund zu spülen, nahm man Wasser.
Jeden Abend wurde Khaled im Scheichzelt sehnlichst erwartet. Da seine Gewandtaschen nicht mehr ausreichten, füllte er die Satteltaschen des Esels mit den Blättern. Und immer wenn die Ohren des Reittiers hinter der Schlucht auftauchten, freuten sich die Männer.
Es dauerte nicht lange, bis auch die Frauen ihre Backen mit den Blättern füllten. In der Frauenabteilung des Scheichzeltes saßen sie beisammen und kauten. Bisweilen lauschten sie dem Gespräch der Männer, die sich immer wieder über den Stammesältesten amüsierten.
„Der Alte sammelt die Blätter im Maul. Seine Backe bläht sich auf wie die eines brünstigen Kamels!“, scherzte der Stammesdichter.
Die Runde prustete vor Lachen. Und immer, wenn der Stammesälteste im Galopp zur Schlucht rannte, wusste man, dass er die Blätter wieder einmal verschluckt hatte.

Die Geschichte von der wundersamen Wirkung der Blätter blieb nicht lange geheim. Sie verbreitete sich unter den Stämmen wie ein Lauffeuer. Trafen Gäste im Scheichzelt ein, bot man ihnen auch Blätter an.

Eines Abends sagte Khaled: „Die Zweige des Strauches sind bald nackt. Die Pflanze kann nicht alle Mäuler versorgen."

Die Männer zogen lange Gesichter.

„Wir haben uns an die saftigen Blätter gewöhnt. Wir müssen uns etwas einfallen lassen!", sagte der Stammesrichter.

Eines Tages erschien ein Gast im Scheichzelt. Es war ein Bauer, der Kaffeehaine besaß. Ihm trugen die Männer ihr Problem vor.

„Du bist ein Bauer", wandte sich Scheich Zayed an ihn, „und verstehst viel von Pflanzen. Kannst du diesen wundersamen Strauch nicht auf deinem Feld anbauen?"

Der Bauer, der schlau war und ein gutes Geschäft witterte, spitzte die Ohren. „Der Strauch wird bestimmt auf meinem fruchtbaren Boden gut wachsen, so wie auch der Kaffeebaum gedeiht. Aber seit ihr diese Blätter kaut, trinkt ihr immer weniger Kaffee. So will ich diese Pflanze für euch anbauen, dann habt ihr Blätter in Hülle und Fülle!"

„Großartig. Ein Bauer hat immer eine gute Nase für Pflanzen", bemerkte der Stammesdichter.

So kam man überein, dass Khaled dem Bauern den Strauch auf der Weide zeigen sollte.

Am nächsten Morgen begleitete der Bauer auf seinem Maulesel den Hirten zur Weide und Khaled führte ihn zu der geheimnisvollen Pflanze am Fuß des Berghügels. Die Augen des Bauern wurden groß. Neugierig musterte er den Strauch, pflückte ein

Blatt und schnupperte daran. Als er es in den Mund schieben wollte, hielt Khaled ihn fest. „Du sollst die Blätter nicht kauen, sondern anbauen!"

„Sachte! Sachte!", entgegnete der Bauer. Er holte Hacke und Schaufel aus den Satteltaschen seines Maulesels und grub vorsichtig einen Ableger aus. „Ihr werdet eure Blätter bekommen", versprach er und ritt davon.

Wie mit den Stammesbewohnern vereinbart, pflanzte der Bauer den Strauch auf seinem fruchtbarsten Boden. Er begoss den Ableger mit Wasser und düngte ihn mit Eselsmist. Der Ableger schoss in die Höhe. Mit der Zeit dehnte sich die Pflanze über das halbe Feld aus.

Regelmäßig suchten der Scheich und die Stammesältesten das Feld auf und kauten von den Blättern. Mit gefüllten Satteltaschen ritten sie zu ihrem Stammeslager zurück. Und bei jedem Besuch brachten sie dem Bauern ein Zicklein mit.

Als die anderen Bauern sahen, dass der schlaue Bauer nach und nach eine stattliche Herde beisammen hatte, wurden sie neidisch. „Die Leute fragen immer weniger nach Kaffee. Sie sind besessen von der Pflanze, sie wollen nur noch dicke Backen haben!", schimpfte ein Bauer, und ein anderer warf ein: „Dieser verdammte Bauer reitet nicht mehr auf seinem alten Maulesel, nein, jetzt reitet er eine edle Stute!"

„Schimpfen bringt uns nicht weiter!", schaltete sich ein Dritter ein. „Auch wir sollten uns Ableger besorgen und diese Pflanze in unseren Kaffeehainen anbauen."

Mit der Zeit folgten immer mehr Bauern dem Beispiel des schlauen Bauern. Und die Kunde von der Pflanze mit der wun-

dersamen Wirkung verbreitete sich über die Landesgrenzen hinaus.
Im Morgengrauen ernteten die Bauern die Blätter. Sie luden die prallen Säcke auf ihre Esel und Maulesel und trieben die Tiere zum Markt. Dort bekamen sie im Tausch für ihre Blätter nicht nur Zicklein, sondern auch Münzen. Besonders begehrt waren die jungen, saftigen Triebe. Bereits in den Morgenstunden fanden sie Käufer.
Wenn sich zur Zeit des Mittagsgebets eine brütende Hitze über das Land legte, waren Straßen und Märkte wie leer gefegt. Die Menschen zogen sich in die Häuser und in die Zelte zurück und begannen Blätter zu kauen.
Und mit den Jahren wurden auf dem Markt immer mehr Blätter angeboten. Die Kaffeehändler stöhnten über die schlechten Geschäfte, während die Blätterhändler gute Gewinne erzielten.
Eines Tages sagte ein Bauer, der mit seinem Sohn über den Markt ging: „Mein Sohn, siehst du die Blätterhändler? Ihre Bäuche werden immer dicker und wir bleiben auf unseren Kaffeesäcken hocken."
Der Sohn nickte. „Dieser Strauch ist der König der Pflanzen im glücklichen Arabien." Er holte tief Luft: „Was hältst du davon, wenn wir die Kaffeebäume entwurzeln und an ihrer Stelle diese Sträucher anbauen?"
„Vielleicht hast du Recht, mein Sohn", erwiderte der Vater.
Die beiden luden die halb vollen Säcke mit Kaffeebohnen auf ihren Esel und kehrten in ihr Dorf zurück.
Noch am gleichen Tag schulterten sie Hacke und Säge und begaben sich aufs Feld. Der Bauer betrachtete jeden einzelnen

Kaffeebaum. Als der Sohn die Säge an den ersten Stamm anlegte, hielt ihn der Vater zurück: „Ich habe diese Bäumchen gehegt und gepflegt. Ich habe sie großgezogen und wachsen gesehen wie dich. Es zerreißt mir das Herz!“ Tränen rollten über die Wangen des Alten.

Der Sohn legte die Säge beiseite und wortlos verließen die beiden den Kaffeehain.

Während sich die Felder mit dem wundersamen Strauch weiter ausdehnten, wurden die Weideplätze für die Tiere immer knapper. Von den saftigen Blättern konnten die Tiere nur noch träumen.

„Warum habe ich diesem dummen Bock bloß von dem Geheimnis erzählt? Jetzt haben wir nicht einmal mehr genug Weide, von den Blättern ganz zu schweigen. Und der alte Bock kann auch nicht mehr springen. Bei Gelegenheit werde ich ihm einen Fußtritt versetzen!“, murrte die alte Ziege.

„Ich sehne mich nach dem saftigen Grün“, pflichtete ihr eine andere bei.

Die alte Ziege schaute sich um. „Habe ich nicht den Strauch entdeckt? Dort drüben steht ein ganzes Feld, warum sollen wir darben? Wir holen uns unser Futter.“ Die Ziegen waren begeistert von der Idee.

Gesagt, getan! Als der Hirte in der Mittagshitze schläfrig wurde und einnickte, rannten die Ziegen auf das Feld und begannen genüsslich von den Blättern zu fressen.

Unterdessen tauchte der Wächter auf. Zornentbrannt hieb er auf die Ziegen ein. Laut meckernd suchten sie das Weite.

Der Wächter fand den schlummernden Hirten. „Du fauler

Hund! Du Nichtsnutz!", beschimpfte er ihn. „Deine Ziegen schlagen sich mit den kostbaren Blättern den Bauch voll und du schläfst!"
Khaled schreckte hoch. Er rieb sich die Augen. „Meine Ziegen! Wo sind meine Ziegen?"
„Ich habe ihnen Beine gemacht!", schimpfte der Wächter.
Khaled wurde puterrot. „Ich schwöre dir, es ist das erste Mal, dass meine Ziegen das Feld betreten haben ..."
„Es ist auch das letzte Mal!", unterbrach ihn der Wächter barsch. „Achte gefälligst auf deine Herde, sonst wirst du meinen Stock zu spüren bekommen!"
„Weißt du überhaupt, dass meine Ziegen diesen Strauch entdeckt haben?", sagte der Hirte.
„Das interessiert mich nicht. Ich habe die Aufgabe, die Felder zu bewachen!"
Der Hirte war empört. „Ihr denkt nur noch an die prallen Beutel. Den Tieren habt ihr die Weideplätze geraubt, und den Kaffeebaum habt ihr entwurzelt. Wo sollen meine Ziegen denn nun weiden?"
„Das ist nicht mein Problem!", erwiderte der Wächter. „Ich warne dich ein letztes Mal: Pass besser auf deine Ziegen auf!" Damit drehte er sich um und ging fort.
Der Hirte trieb seine versprengte Herde wieder zusammen und setzte sich in den Schatten der Palme, um nachzudenken. Der Anblick des Feldes mit dem berauschenden Strauch stimmte ihn traurig.
Der Bock, der den Hirten beobachtete, sagte zu der alten Ziege: „Der größte Dummkopf von uns allen ist der Hirte. Er hat den

Zeltbewohnern das Geheimnis verraten und die haben die Bauern angeworben. Bald wird es überhaupt keine Weide mehr geben!"

Doch die alte Ziege war verärgert und würdigte den Bock keines Blickes. „Dieser verdammte Wächter hat mir das Fell gegerbt", murmelte sie. Sie lehnte ihren geschundenen Rücken an einen Kaffeebaum, der einsam am Rande des Feldes stand.

„Jetzt kommst du zu mir, du dumme Ziege!", begann der Kaffeebaum zu sprechen. „Du hast dieses Unglück über uns gebracht! Siehst du das Unkraut zu meinen Füßen? Es ist jetzt der Lieblingsstrauch des Bauern, weil er ihm den Beutel füllt." Der Kaffeebaum schüttelte sich vor Verachtung. „Dieser Emporkömmling!"

„Die Ziegen, die Hirten, die Kaffeebäume, alle leiden wegen dieser Pflanze!", meckerte die alte Ziege ungehalten. „Verflucht sei dieser Strauch!"

„Was helfen uns jetzt deine dummen Sprüche?", entgegnete der Kaffeebaum. „Die guten Tage sind vorbei. Im glücklichen Arabien war ich die edelste aller Pflanzen. Aus meinen Bohnen bereitete man gewürzten Kaffee für die Gäste; mein Duft erfüllte die Zelte und die Häuser. Ich, die Tochter des Jemen, war weltberühmt! Aus Mokcha segelten Schiffe, beladen mit Kaffee, in alle Welt. In vielen Ländern rühmte man den Mokka! Karawanen, auch sie beladen mit Kaffeebohnen, zogen durch die Wüste in ferne Länder. Und jetzt verkomme ich in diesem Land. Dieser Strauch verdrängt mich von den fruchtbarsten Böden und raubt
uns das Herz der Bauern. Was soll nun aus mir werden?"

Der Kaffeebaum verstummte und auch die alte Ziege schwieg.

Es wollte ihr kein Wort des Trostes einfallen. Nur noch das Rascheln der Blätter war zu vernehmen, durch die eine kühle Abendbrise strich.

Khaled saß noch immer unter der Palme, den Rücken an den Stamm gelehnt, und dachte nach, als der traurige Bauer auf dem Maulesel auftauchte.

„Sei gegrüßt, du Ziegenhirte!“, sagte der Bauer.

„Friede sei mit dir!“, erwiderte der Hirte.

Der Bauer setzte sich zu Khaled.

„Deine Augen sind traurig! Was bedrückt dich, mein Junge?“

„Mich bedrückt, was auch dich bedrückt. Ich finde immer weniger Weide für meine Ziegen. Die Wächter auf den Feldern machen uns das Leben schwer. Kaum nähert sich eine Ziege, bekommt sie den trockenen Stock zu spüren!“, klagte der Hirte.

„Die Münzen haben die Bauern um den Verstand gebracht!“, bemerkte der Bauer. „Nicht nur die Kaffeebäume werden entwurzelt, auch Obst- und Gemüsepflanzen leiden!“ Der Bauer tätschelte seinen Maulesel. „Der Strauch braucht weniger Pflege und bringt mehr Münzen, doch meinen Kaffeehain wird er nicht erobern! Ich bleibe dem alten Kaffeebaum treu!“

Ein Lächeln huschte über das Gesicht des Hirten.

Der Bauer bestieg seinen Maulesel und ritt davon. Und der Hirte, dem ein klein wenig leichter ums Herz war, trieb seine Ziegen zusammen und führte sie ins Zeltlager zurück.

Leider gab es nur wenige, die so dachten wie der Bauer. Immer mehr Menschen aber wollten die Blätter kauen, wollten in diesen glückseligen Rausch fallen, und sie wurden immer begieri-

ger nach den Blättern, wollten immer mehr. Der Preis war hoch. Wenn man heute den Jemen besucht, sieht man nur noch wenige Kaffeehaine. Stattdessen trifft man auf Plantagen mit dem Strauch und man sieht viele Menschen mit dicken Backen. Sie haben keine Eier im Mund, ihre Backen sind mit den Blättern gefüllt. Dafür müssen sie viel bezahlen. Doch wer glückselig seinen Rausch ausschläft, kann keinen Handel treiben oder seine Felder bestellen. Auch der Weidegrund wird immer knapper. Die einst großen Herden finden nicht mehr genug zu fressen. Sie werden mager, geben kaum Fleisch und nur wenig Milch. Und das bisschen Kaffee, das noch im Lande wächst und nicht vom Strauch verdrängt wurde, reicht nicht einmal für den eigenen Gebrauch der Menschen. Die müssen sich in reichen Nachbarländern verdingen, um ihr Brot zu verdienen. Das glückliche Arabien, das einst berühmt war für seinen Kaffee, zählt heute zu den ärmsten Ländern der Welt.

Als Letzter folgte Nabil mit seiner Geschichte. Er vereinbarte mit Amira, ihr seine Geschichte am Brunnenrand zu erzählen.
Kurz nach Sonnenuntergang machte sich Amira im Zelt der Großmutter am Wassersack zu schaffen. Sie lockerte die Schnur und ließ das Wasser im Sand versickern.
Als die Großmutter Durst bekam, fand sie den Wassersack leer. „Amira!", bat sie. „Reite auf dem Esel zum Brunnen und hole Wasser!"
Das Mädchen lud den Sack auf den Esel und ritt los. Am Brunnen wurde sie von Nabil empfangen.
„Hier am Brunnen werde ich dir meine Geschichte erzählen",

sagte er zu Amira. „Brunnen sind Orte der Liebenden. Am Brunnenrand treffen sich Liebhaber und Geliebte, um ihren Durst zu stillen."

Amira ließ sich am Brunnenrand nieder. „Was für eine Geschichte hast du mitgebracht? Lass hören!"

Der Unglücksrabe

Unsere Sippe gehört dem Stamm der Tyaha an. Die Tyaha sind einer der mächtigsten Stämme der Wüste, und man rühmt sie wegen ihrer großen Gastfreundschaft.
Vor vielen Jahren lebte in unserem Stamm ein Mann namens Adnan. Allah schenkte ihm großen Reichtum. Seine Kamelherde vermehrte sich schneller als die Herden seiner Nachbarn, und wenn er Handelsreisen unternahm, war der Gewinn auf seiner Seite. Adnan war nicht nur reich an Kamelen, neben der Feuerstelle hatte er auch einen prallen Beutel mit Goldmünzen versteckt.
Seine Frau gebar ihm sieben Söhne und drei Töchter. Adnan und seine Frau Dahab kannten einander von Kindesbeinen an, denn sie gehörten derselben Sippe an. Oft saßen sie am Abend um das Feuer und betrachteten zufrieden die Schar ihrer Kinder:

„Allah hat uns zahlreiche Nachkommen beschert, und wenn unsere Kamelkarawane aufbricht, reicht sie von hier bis zum Scheichzelt!“

Mit der Zeit heirateten die Söhne und Töchter der beiden. Und so standen neben dem elterlichen Zelt bald sieben Zelte, in denen die Söhne mit ihren Familien wohnten.

Mit den Jahren wurde Adnans schwarzer Bart weiß und die Falten in Dahabs Gesicht mehrten sich. Ihre Enkel und Urenkel waren so zahlreich, dass die beiden Alten sie bald nicht mehr auseinander halten konnten. Sie begannen die Namen zu verwechseln. Die Enkelkinder lachten die Großeltern aus, wenn sie wieder einmal Abdallah für Hassan hielten. Doch gegen das Älterwerden ist kein Kraut gewachsen.

Eines Abends legte sich der Großvater wie üblich zur Ruhe und deckte sich mit seinem Fellmantel zu. Als Dahab am nächsten Morgen das Feuer entfacht und Kaffee gekocht hatte, weckte sie ihren Mann: „Adnan wach auf, es ist Morgen! Der Kaffee ist bereitet!“ Der Mann rührte sich nicht. Sie rüttelte ihn, doch vergeblich. Unter lautem Schreien lief sie vor das Zelt: „Oh Vater meiner Kinder!“

Die Söhne eilten herbei. Als der älteste Sohn dem Vater den Fellmantel vom Gesicht zog, schossen ihm die Tränen in die Augen. „Unser Vater hat sich von dieser Welt verabschiedet. Seine Seele ist unterwegs zum Himmel.“

Während die Frauen in das Zelt strömten, um den Toten zu beklagen, nahmen die Männer Hacken und Schaufeln zur Hand und begaben sich zur Grabstätte.

„Hier neben seinem Vater werden wir für Adnan das Grab aus-

heben“, sagte der Stammesälteste und wies mit einer Hand auf die Stelle. Die Männer machten sich ans Werk.

Währenddessen wuschen die Söhne den Leichnam, wickelten ihn in ein weißes Tuch und hoben ihn vorsichtig auf den Rücken eines Kamels, das ihn zur Grabstätte trug. Dort angekommen, ließen sie das Tier langsam niederknien und legten den Toten in das Grab. Mit ihren Schaufeln schütteten sie das Grab wieder zu.

„Allah möge dir einen Platz im Paradies geben!“, wünschten die Anwesenden. Über die Stelle, wo der Kopf des Toten lag, wurde ein Steinbrocken gewälzt.

Ein Enkelkind, das das Begräbnis beobachtet hatte, fragte seinen Vater: „Wozu braucht man diesen Stein?“

„Stirbt ein Mensch, so bestatten wir ihn hier“, antwortete der Vater. „Der Leichnam wird so gelegt, dass sein Kopf in Richtung der heiligen Stadt Mekka weist. In diese Richtung neigen sich alle Muslime zum Gebet!“

Das Kind nickte. „Das stimmt, Vater. Aber die Toten können nicht mehr beten.“

„Nein!“, erwiderte der Vater. „Doch sie können den Lebenden manchmal helfen.“

Das Kind schaute den Vater fragend an.

„Mein Augenschein, wenn ein Wanderer in der Wüste die Orientierung verliert und durch das Sandmeer irrt, kann ihn eine Grabstätte retten. Sieht er die Steine auf den Köpfen der Toten, so weiß er, in welcher Richtung Mekka liegt. Auf diese Weise kann er sich orientieren und den richtigen Weg wieder finden.“

Das Kind hatte aufmerksam gelauscht. „Du meinst, dass das Grab des Großvaters jemandem helfen kann?“
Der Vater nickte: „Es kann dem Wanderer in der Not helfen.“

Die Nachricht vom Tod des Mannes verbreitete sich in alle vier Himmelsrichtungen. Frauen und Männer von nah und fern besuchten die Angehörigen und brachten ihr Beileid zum Ausdruck. Der Verstorbene hatte vielen Menschen geholfen und so schätzte man ihn weit über die Stammesgrenzen hinaus.
Am Abend schlachtete die Familie drei Schafe zu Ehren des Toten und bereitete ein Festmahl zu.
Nach sieben Trauertagen versammelten sich die sieben Söhne des Verstorbenen im Zelt ihres Vaters. Der Älteste unter ihnen ergriff das Wort: „Nach einem langen Leben schied unser Vater aus dieser Welt. Er hat uns eine große Kamelherde und viele Münzen hinterlassen. Wir wollen das Erbe gerecht unter uns aufteilen.“
Die Brüder nickten zustimmend.
Der Älteste stand auf und zählte die Kamele, die unweit des Zeltes weideten. Es waren sechzig Stuten, vierzig Hengste und zwanzig Kamelfüllen.
„Jeder von uns bekommt siebzehn Tiere. Dann bleibt ein Kamel übrig“, stellte einer der Brüder fest.
„Am vierzigsten Tag nach dem Tod schlachten wir das Kamel zu Ehren der Seele des Vaters“, sagte der älteste Sohn.

Die anderen Brüder waren einverstanden.
„Jetzt teilen wir noch die Münzen unter uns auf“, schlug der jüngste Bruder vor.

„Von den Goldmünzen bekommen auch unsere drei Schwestern ihren Teil“, erinnerte der älteste Bruder die anderen.
Sie riefen die drei Schwestern und die Mutter zu sich. Anderthalb Ellen von der Feuerstelle entfernt grub der Älteste mit der Feuerzange nach dem Beutel. Die Goldmünzen klimperten, als er den Beutel auf dem Teppich ausleerte.
Er legte zehn Goldstücke um den Rand der Feuerstelle. „Ich werde zehn Häufchen anlegen“, sagte er. Dann nahm er eine Hand voll Münzen und verteilte sie. Die Häufchen wuchsen, während die Münzen auf dem Teppich allmählich weniger wurden. Siebzig Mal umkreiste er die Feuerstelle, bis die Münzen verteilt waren.
„Jeder von uns bekommt siebzig Goldmünzen“, sprach er.
„Wir haben die Mutter vergessen!“, wandte einer der Brüder ein.
„Nein!“, widersprach der Älteste. „Alle Zelte sind für die Mutter offen. Der ganze Reichtum wird ihr zugute kommen.“
„Auf meine alten Tage brauche ich weder Kamele noch Münzen“, schaltete sich die Mutter ein. „Ich vermisse euren Vater.“
Sie hielt inne, doch dann fuhr sie fort: „Wenn ihr mit dem Erbe des Vaters geschickt umgeht, werdet ihr nie Not leiden.“ Und an ihre Töchter gewandt, sagte sie: „Aus den Goldmünzen könnt ihr euch Ketten machen. Sie gehören allein euch. Kein Ehemann kann sie euch streitig machen. Das Gold tragt ihr bei den Festen und in der Not könnt ihr immer darauf zurückgreifen.“
Und mit ihrer Hand schüttete die Mutter die kleine Grube neben der Feuerstelle wieder zu.
Jeder der Erben nahm seine Kamele und sein Häufchen Gold-

münzen und kehrte in sein Zelt zurück. Die Söhne machten sich Gedanken, was sie mit dem Erbe anfangen konnten. Manche versteckten ihre Münzen im Zeltwinkel, andere tauschten die Münzen gegen Kamele ein und vergrößerten so ihre Herden.
Hamid, der Jüngste, hatte einen anderen Plan. Zwar war er verheiratet, und seine Frau gebar ihm auch Kinder, doch wollte er noch mehr Söhne haben. Er besprach sich mit seiner Frau. Erst nach langem Hin und Her willigte die Frau ein, dass Hamid eine zweite Frau aus der Sippe heiraten durfte. Eine Braut war bald gefunden.
Hamid gab dem Vater der Braut sieben Kamele und dreißig Goldmünzen als Brautgabe. Den Rest seiner Münzen verwendete er für das große Hochzeitsfest und eines der Kamele schlachtete er für das Festessen. So blieben Hamid vom väterlichen Erbe noch neun Kamele.
Die neue Ehe wurde geschlossen und die beiden Frauen kamen gut miteinander aus. Die zweite Frau gebar viele Kinder, doch Hamids Wunsch nach Söhnen ging nicht in Erfüllung, die Frau gebar ihm nur Töchter. Als die Frau zum siebten Mal schwanger war, schöpfte Hamid Hoffnung. In der Nacht hatte er geträumt, dass ein junger Reiter auf sein Zelt zukam.
Die Zeit der Schwangerschaft verging wie im Flug und Hamid und seine Frau warteten neugierig auf den Reiter. Als die Stunde der Geburt kam, umringten die Frauen die Gebärende. Die Hebamme musste die Gafferinnen immer wieder verscheuchen.
Diesmal erfüllte sich Hamids Wunsch: Die Hebamme verkündete die Geburt eines Sohnes. Der stolze Vater befestigte eine

weiße Fahne auf dem Zeltdach und begab sich in das Männerzelt, um die Glückwünsche entgegenzunehmen.
Die weiße Fahne wehte im Herbstwind, als plötzlich ein Rabe auftauchte und über Hamids Zelt kreiste. Ein lautes Krächzen erschreckte die Frauen. Als die Hebamme aus dem Zelt trat und nach einem Stein griff, ließ der Rabe seinen Kot fallen. Die Hebamme blieb wie angewurzelt stehen, als sie bemerkte, dass er die Fahne getroffen hatte. „Ein schlechtes Omen!“, murmelte sie. „Der Rabe hat nicht nur gekrächzt, er hat auch die weiße Fahne beschmutzt!“
Eine alte Frau war fassungslos: „So etwas habe ich in meinem langen Leben nicht gesehen“, sagte sie und flehte zu dem Stammesahn: „Wenn du das Unglück nicht abwenden kannst, so mindere es wenigstens!“
Der Vater gab dem Neugeborenen den Namen Hussein. Doch die Bewohner des Zeltlagers riefen ihn Hussein der Unglücksrabe! Mit den Jahren, als er größer wurde, ärgerte sich Hussein über den Spitznamen, doch er konnte nichts dagegen ausrichten.
Als Hussein im heiratsfähigen Alter war, zeigten die Mädchen des Stammes wenig Interesse an ihm, und ihre Väter sagten: „Einen Unglücksraben werde ich meiner Tochter nicht geben. Wer weiß, was ihm noch zustoßen wird!“
Nach langer Suche fand Hamid für seinen Sohn eine Braut aus einem fernen Stamm. Die Geschichte vom Unglücksraben war nicht bis zu diesem Stamm gedrungen. Sie kannten nur Adnan, Husseins Großvater, der ein allseits geschätzter Mann gewesen war.

Um jedem Unglück vorzubeugen, verzichtete Hamid darauf, für Hussein ein Hochzeitsfest auszurichten. Der Sippe der Braut erklärte er, in seinem Zeltlager habe es einen Todesfall gegeben, deshalb müssten alle Feste ausfallen. Die Familie der Braut zeigte Verständnis. So heiratete Hussein und bewohnte mit seiner Frau ein eigenes Zelt.

Einen Monat nach der Vermählung wandte sich Hussein an seinen Vater: „Ich bin jetzt ein verheirateter Mann, ich möchte Handel treiben!"

Der Vater war erfreut: „Ich freue mich über deine Entscheidung. Dein Großvater hat mit Handel viele Goldmünzen verdient." Der Vater gab Hussein das beste Kamel und drückte ihm einige Münzen in die Hand. „Damit kannst du Waren einkaufen."

Der Sohn kaufte mit den Münzen Teppiche und begab sich auf den großen Bazar.

„Teppiche! Bunte Teppiche!", rief Hussein aus Leibeskräften. Doch die Marktbesucher schienen ihn zu überhören. Nur eine Frau blieb stehen, warf einen Blick auf die Teppiche und ging weiter. Als die Sonne über dem Minarett der Moschee stand, hatte Hussein noch keinen einzigen Teppich verkauft.

„Heute steht das Glück nicht auf meiner Seite", tröstete er sich. „Aber noch ist nicht aller Tage Abend!"

Hussein lud die Teppiche auf sein Kamel und ritt in das Zeltlager zurück. Als seine Frau das voll beladene Kamel erblickte, fragte sie: „Warst du nicht auf dem Markt?"

„Doch! Aber die Marktbesucher hatten heute keine Augen für schöne Teppiche", schimpfte er.

„Vielleicht bringt der nächste Markttag Glück", tröstete ihn die Frau.
Hussein nickte und setzte sich an das Feuer. Gierig verschlang er ein Fladenbrot nach dem anderen.
Hamid, der Vater, erkundigte sich nach den Geschäften. Als Hussein von seinem ersten Markttag erzählte, beruhigte ihn der Vater: „Händler müssen Geduld haben. Manchmal erzielt man Gewinne, manchmal bleiben die Gewinne aus."
Hussein beschloss, eine Woche später einen anderen Markt aufzusuchen, der weiter entfernt lag. Dort gibt es mehr Marktbesucher!, dachte der junge Händler bei sich.
Am Vorabend fütterte Hussein sein Reittier mit einem Korb voll Gerste, füllte seinen Wassersack und suchte sich einen Vorrat von Datteln.
In dieser Nacht legte sich Hussein zu seiner Frau. „Was wünschst du dir vom Bazar?", fragte er.
„Ein rotes Kleid!", entgegnete die Frau.
Schon bevor der Morgenhahn krähte, belud Hussein sein Kamel und ritt los. Das Kamel, ein junges, kräftiges Tier, kam schnell voran. Und so erreichte Hussein als einer der Ersten den Markt.
Er suchte sich eine geeignete Stelle im Herzen des Marktes und breitete dort seine Waren aus. Während er Datteln kaute, um sich zu stärken, füllte sich langsam der Platz. Händler und Besucher strömten auf den Markt.
Gegenüber von Hussein hatte sich ebenfalls ein Teppichhändler niedergelassen. Während dieser alle Hände voll zu tun hatte, blieb Hussein auf seinen Teppichen sitzen.
Erst als sich gegen Mittag der Markt zu leeren begann, kam ein

Kunde zu ihm und kaufte einen kleinen Teppich. Als Hussein die erste Münze in seinen Beutel gleiten ließ, begann er Hoffnung zu schöpfen: „Allah sei Dank. Das Geschäft hat angefangen!“

Der Kunde bot Hussein geröstete Mandeln an. „Woher kommst du?“, erkundigte er sich.

„Ich komme vom Stamm der Tyaha!“, antwortete Hussein.

„Du hast einen langen Weg hinter dir!“, wunderte sich der Mann.

„Mein Kamel ist edel und kann schnell laufen“, erwiderte Hussein.

„Treibst du schon lange Handel?“

„Es ist mein zweiter Marktbesuch! Der erste Markt, auf dem ich war, hat mir wenig Glück gebracht“, erzählte Hussein und fuhr fort: „Mit dem heute eingenommenen Geld werde ich ein Kleid für meine Frau kaufen!“

„Sie wird sich bestimmt freuen“, sagte der Mann und verabschiedete sich.

Hussein lud seine Teppiche auf das Kamel und zog zu dem Stoffhändler. Mit den Münzen kaufte er ein rotes Kleid und verstaute es zwischen den Teppichen.

Während Hussein mit seinem Einkauf beschäftigt war, hatte er nicht bemerkt, dass der Mann, der den Teppich gekauft hatte, ihn beobachtete. Und als Hussein schließlich die Rückreise antrat, folgte ihm der Mann in gemessenem Abstand.

Hussein hatte die Hälfte der Strecke zurückgelegt, als ihn eine bleierne Müdigkeit überkam. „Im Schatten dieses Feigenbaums will ich mich ein wenig ausruhen“, sprach er zu sich. Er band

sein Kamel am Feigenbaum fest, legte sich in den Schatten, und es dauerte nicht lange, bis ihn der Schlaf überfiel.
Während Hussein tief und fest schlief, näherte sich der Mann. Auf leisen Sohlen schlich er sich heran, durchtrennte mit seinem Dolch das Seil und zog das Kamel samt seiner Ladung mit sich fort.
Derweil schlummerte Hussein weiter. Er entspannte sich vom anstrengenden Markttag und begann zu träumen. Im Traum erschien ihm der Großvater auf einer edlen Stute. Er ritt auf das Lager und geradewegs auf Husseins Zelt zu. Vor dem Zelteingang zügelte der Großvater das Reittier, griff in die Satteltasche und warf Goldmünzen in das Zelt. Hussein, der seinen Großvater nicht mehr kennen gelernt hatte, war verwirrt. Vor lauter Aufregung wusste er nicht, ob er sich nach den Münzen bücken oder den Großvater betrachten sollte. Wenige Augenblicke später war das Traumbild verschwunden. Vergeblich rief er den Großvater.
Schlaftrunken rieb sich Hussein die Augen. Ich muss lange geschlafen haben!, dachte er bei sich, als er eine frische Brise spürte. Er setzte sich auf und drehte sich nach seinem Kamel um, doch das Tier war nicht zu sehen. Noch einmal rieb er sich die Augen. Als er das Seilende erblickte, sprang er hoch. „Das verfluchte Kamel hat sich losgerissen!“, schimpfte er. „Mit diesem Stock werde ich es zähmen! Weit kann es nicht gekommen sein!“
Hussein schaute sich nach allen Himmelsrichtungen um, doch er konnte das Kamel nirgends entdecken. Als er das Seilende näher betrachtete, fiel ihm auf, dass es nicht gerissen war. Irgend-

jemand musste es mit einem Messer durchtrennt haben. Ein Dieb!, kam es Hussein in den Sinn. Er suchte nach Spuren im Sand und fand tatsächlich neben den Hufspuren Fußabdrücke. „Ich werde dir die Knochen brechen!“, tobte er und fuchtelte mit seinem Stock.
Der Bestohlene folgte drei Steinwürfe weit den Spuren, dann hörten die Fußabdrücke auf. „Hier hat der Dieb das Kamel bestiegen“, stellte er fest. „Er ist auch noch zu faul zum Laufen!“
Mittlerweile stand die rote Abendsonne nur noch zur Hälfte über dem Horizont, und Hussein beschloss, für diesen Tag die Suche einzustellen.
„Du wirst mir nicht entkommen!“, schwor er. „Morgen werde ich dir auf den Fersen sein. Der Tag hat Augen!“
Er machte sich eilig auf den Weg und suchte das nächstgelegene Zeltlager auf, um dort die Nacht zu verbringen.
Man empfing den Gast freundlich und geleitete ihn ins Männerzelt. Nach der Bewirtung saßen die Männer auf den Teppichen und tranken Kaffee.
„Du hast eine weite Reise hinter dir“, sagte der Gastgeber, als er Hussein ein Kaffeeschälchen reichte.
Hussein nickte und erzählte der Runde, was ihm widerfahren war. Voller Mitgefühl hörten sich die Männer die Geschichte an.
„Unser Stamm hat einen berühmten Spurensucher“, beruhigte der Scheich den Gast. „Er hat schon manchem Dieb das Handwerk gelegt. Gleich morgen wird er den Dieb deines Kamels aufspüren.“
Hussein schöpfte Hoffnung. „Ich weiß eure Hilfe zu schätzen!“, bedankte er sich.

Nach und nach verließen die Männer das Zelt. Der Scheich, der sich als Letzter zurückzog, wünschte dem Gast eine angenehme Nachtruhe. Hussein, der von dem langen und anstrengenden Tag müde war, streckte sich auf dem Teppich aus und deckte sich mit seinem Umhang zu. In Gedanken war er bei seiner Frau, die wohl voll Ungeduld auf ihn warten würde. Nach geraumer Zeit überwältigte ihn der Schlaf.

Er erwachte erst, als das Zelt über ihm zu tanzen begann und Sandkörner seine Nase kitzelten. Laute Schreie und Rufe ließen ihn hochschrecken; Kinder weinten, Hunde bellten, das ganze Zeltlager war auf den Beinen. Als er sich erheben wollte, fegte eine Sturmbö das Zelt hinweg. Es war so finster, dass er seine eigene Hand kaum sehen konnte. Er kauerte sich unter seinen Umhang und wartete ab. Der Sandsturm war kurz und heftig, dann legte er sich.

„So einen heftigen Sturm habe ich seit langem nicht erlebt!", sagte der Scheich, als er auf Hussein zukam. „Zum ersten Mal hat ein Sturm das Gastzelt weggefegt." Und er fügte hinzu: „Ich bin froh, dass keine Zeltstange meinen Gast getroffen hat."

Am nächsten Morgen begleitete der Spurensucher Hussein zu dem Feigenbaum. „Hier ist das Seilende", wies Hussein mit dem Finger auf den Stamm.

Der Spurensucher schaute sich in der Gegend um, doch weit und breit waren keine Abdrücke zu finden. „Du bist ein Pechvogel!", sagte er. „Auch hier hat der Sturm gewütet und alle Spuren verweht und ohne Spuren ist ein Spurensucher wie ein Taubstummer auf dem Hochzeitsfest!"

Unverrichteter Dinge mussten die beiden umkehren. Hussein

verabschiedete sich von dem Spurensucher und machte sich auf den Weg zu seinem Zeltlager.
Noch vor Anbruch der großen Mittagshitze erblickte er die ersten Zelte. Husseins Frau, die in Sorge war um ihren Mann, saß vor dem Zelteingang und hielt Ausschau. Als sie Hussein erspähte, war sie nicht wenig erstaunt. Diesmal stand das Glück auf seiner Seite!, dachte sie, als sie ihn herbeihumpeln sah. Er hat die Teppiche und dazu noch das Kamel verkauft!
Sie winkte ihm mit ihrem Schleier zu, doch Hussein reagierte nicht. „Wo warst du so lange?“, bestürmte sie ihn, als er eintraf. Hussein griff, ohne ein Wort zu sagen, nach dem Wassersack und goss das kostbare Nass in hohem Bogen in seinen Schlund.
„Wie waren die Geschäfte?“, erkundigte sich die Frau erwartungsvoll.
„Geschäfte?“ Hussein schilderte seiner Frau ausführlich das Missgeschick, das ihm widerfahren war.
„Wenigstens bist du heil zurückgekehrt!“, suchte ihn die Frau zu trösten. „Ich bin froh, dass der Dieb dich nicht verletzt hat!“

Die Geschichte von Husseins Handelsreise wanderte in Windeseile von Zelt zu Zelt.
Hamid begab sich unverzüglich zu seinem Sohn. „Hussein! Deine Geschäfte kommen uns teuer zu stehen. Verkaufe die Satteltaschen und höre auf, Handel zu treiben!“, riet ihm der Vater.
Nach diesem Missgeschick blieb Hussein in seinem Zelt und wollte keine Arbeit mehr aufnehmen. Er hockte den ganzen Tag an der Feuerstelle und seine Frau versorgte ihn mit Essen. Erst

war sie froh gewesen, dass ihm auf diese Weise kein weiteres Unglück zustoßen konnte, doch mit der Zeit machte sie sich Gedanken.
„Alle Männer arbeiten, nur du sitzt im Zelt!", sagte sie. „Unser Mehlvorrat ist zu Ende. Ich muss die Schwiegermutter um Mehl bitten."
Hussein, der mit der Feuerzange die Kamelbällchen auftürmte, schaute hoch: „Ich bin für den Handel geboren. Ich werde keine andere Tätigkeit ausüben."
„Handel? Wir hatten bisher nichts als Schaden davon!"
„Vielleicht sollte ich kleiner anfangen?", dachte Hussein laut nach. „Die Sache mit dem Teppichhandel war eine Nummer zu groß!"
„Dein Vater gibt dir keine Münzen mehr", bemerkte die Frau.
„Du könntest mir Münzen borgen!"
Die Frau war empört. „Meine Halskette wird nicht verkauft. Sie ist Teil meiner Brautgabe!"
„Dann beenden wir das Thema", sagte Hussein barsch und widmete sich wieder den Kamelbällchen.
In der Nacht lag die Frau lange wach und überlegte hin und her. Wenn ich meinem Mann nicht beistehe, dachte sie, was soll dann aus uns werden? Er soll einen Versuch wagen!
Am nächsten Morgen nach dem Frühstückskaffee fädelte die Frau drei Goldmünzen aus ihrer Halskette und überreichte sie ihrem Mann: „Mit diesen Münzen kannst du dein Glück versuchen!"
Hussein strahlte wie die Morgensonne und drückte seine Frau an die Brust: „Eines Tages wirst du sieben Münzen zurückbe-

kommen!“ Er besattelte seinen alten Esel und machte sich auf zu dem Bauernmarkt, der einen halben Tagesritt entfernt lag. Hussein war entschlossen, Gurkenhandel zu betreiben.
Er kaufte einen Stand nach dem anderen leer, bis der Esel die Ladung kaum noch tragen konnte. Vergeblich suchten Gemüsehändler ihm ihre Tomaten schmackhaft zu machen. Hussein blieb standhaft.
Als er mit seinem schwer bepackten Esel das Stammeslager erreichte, umringten ihn die Kinder. „Was hast du in den Säcken?“, fragten sie neugierig.
„Gurken!“, erwiderte Hussein.
„Gurken?“ Die Kinder lachten. „Warum keine Süßigkeiten?“
„Gurken sind viel gesünder!“, sagte Hussein und trieb seinen Esel mit dem Stock an.
„Wie viel kostet eine Gurke?“, wollte ein kleiner Stöpsel, der dem Esel gerade bis zum Bauch reichte, wissen.
„Eine kleine Gurke kostet ein Ei, eine mittlere zwei Eier, und eine große Gurke kostet drei Eier!“
„Meine Mutter hat keine Eier“, sagte der Kleine.
Hussein zuckte mit den Schultern.
Mittlerweile war er vor seinem Zelt angelangt. Die Frau empfing ihn. „Was hast du in den Säcken?“
„Gurken!“
Die Frau wunderte sich. „Gurken?“
„Ja, Gurken!“, erwiderte Hussein. „Ich bin ab heute Gurkenverkäufer. Kehre einen Zeltwinkel, damit ich dort meinen Laden eröffnen kann!“
Während Hussein die Säcke ablud, stiegen die ersten Staub-

wolken aus dem Zelt. In der gekehrten Zeltecke leerte er seine Säcke aus und begann die Gurken zu sortieren. In die Mitte häufte er die großen Gurken, rechts die kleinen und links die mittleren. So war er sicher, die Gurken nicht zu verwechseln.
Husseins Frau betrachtete ihren Mann beim Sortieren. „Gurken sind gesund!", nahm Hussein das Gespräch auf. „Man kann leckeren Gurkensalat machen oder die Gurken auch einlegen, dann hat man das ganze Jahr seine Freude."
„Wenigstens musst du keine langen Handelsreisen unternehmen", tröstete sich die Frau.
„Ich werde die Gurken gegen Eier eintauschen", sagte Hussein.
„Eier? So viele Eier können wir niemals essen!", wandte die Frau ein.
„Wir lassen die Eier bebrüten!", erklärte Hussein seinen Plan.
„Wenn diese Gurken verkauft sind, haben wir einen Berg von Eiern, und in Kürze werden wir so viele Hühner haben, wie der Berg Steine hat. Die Hühner verkaufe ich auf dem Markt gegen Münzen!"
„Mögen deine Worte den Himmel erreichen!", wünschte die Frau.
Die Kinder hatten in den Zelten von dem neu eröffneten Laden erzählt und bald strömten die Neugierigen zu Husseins Zelt. Einige standen im Zelteingang und betrachteten die Ware, andere lugten durch die Zeltlöcher.
Hussein empfing die Kunden: „Gurken, frisch geerntet! Kauft Gurken!"
Doch der Verkauf kam nur stockend in Gang. Stattdessen füllte sich das Zelt mit Gaffern.

„Die Gurken sind zu teuer!", schimpfte einer.
„Warum hast du keine Tomaten?", wollte ein anderer wissen.
Und ein Dritter wandte ein: „Wir haben keine Eier übrig!"
Als Hussein am späten Abend die Eier neben den Gurken aufhäufte, zählte er einundzwanzig Stück.
„Nicht schlecht für den ersten Tag!", bemerkte die Frau und schob ihrem Mann eine Schüssel Suppe zu.
Am nächsten Tag war es merklich ruhiger in Husseins Zelt. Die Gaffer hatten schon am Vortag ihre Neugier befriedigt und die Kunden machten sich rar.
Als gegen Mittag erst eine Gurke verkauft war und die übrigen von der Sommerhitze erste Runzeln zeigten, sagte die Frau: „Willst du deine Ware nicht im benachbarten Zeltlager anbieten?"
„Ein kluger Vorschlag!", lobte Hussein.
Er lud die Hälfte der Gurken auf seinen Esel. Als er gerade aufbrechen wollte, bat ihn die Frau: „Bitte fang mir das Huhn, es soll inzwischen die Eier bebrüten!"
Hussein verfolgte das Huhn drei Runden im Zelt, dann hatte er es gefangen. Er band um das Bein des Huhns ein Seil und befestigte das andere Seilende an der Zeltstange. „So kann es nicht mehr entwischen!", stellte er befriedigt fest.
Das Huhn setzte sich mit ausgebreiteten Flügeln auf die Eier. Während es die Eier bebrütete und Hussein auf dem Weg in das benachbarte Zeltlager war, packte die Frau ein paar Gurken in ihren Korb und machte sich auf, ihre kranke Mutter zu besuchen.
Erst am späten Nachmittag kehrte die Frau in ihr Zelt zurück.

Als sie den Zelteingang öffnete und nach dem Huhn schaute, stockte ihr der Atem. Das Huhn saß nicht mehr auf den Eiern, sondern thronte auf den Gurken. „Weg mit dir!“, schrie die Frau und scheuchte das Tier mit dem Besenstiel auf.
Als sie die Gurken näher betrachtete, sah sie die Bescherung: Das Huhn hatte die Gurken angepickt.
„Hätte ich doch das Zelt nicht verlassen!“, jammerte die Frau. „Was sollen wir bloß tun?“
Sie setzte sich an die Feuerstelle und wartete auf ihren Mann.
Als Hussein kurze Zeit später mit seinem Esel eintraf, empfing ihn seine Frau nicht wie üblich vor dem Zelt.
„Wo steckst du?“, rief er. „Hilf mir beim Abladen!“
Die Frau trat vor das Zelt.
„Die Zeit für Gurken ist nicht günstig. Ich habe nur eine große Gurke verkauft“, erzählte Hussein. „Die drei Eier habe ich unterwegs verzehrt. Kamen heute Kunden in das Zelt?“
Nach kurzem Zögern erzählte ihm die Frau, was sich zugetragen hatte.
Hussein bekam einen dicken Hals und wurde puterrot. „Die Gurken in meinen Säcken faulen und die Gurken im Zelt sind durchlöchert!“ Wutentbrannt rannte er ins Zelt und fuchtelte mit seinem Stock. „Du blödes Huhn!“, schrie er. Während sein Stock niedersauste, hatte sich das Huhn losgerissen, und Husseins Stockhieb traf die Eier. Wie von Sinnen packte Hussein die Gurken und rannte vor das Zelt. „Hier, friss!“, hörte ihn die Frau schreien und sah, wie er dem alten Esel eine Gurke nach der anderen ins Maul schob.
So endete das Geschäft mit den Gurken, und Hussein schwor

bei allen Heiligen, nie wieder Handel zu treiben. Seit sich Hussein vom Handel verabschiedet hatte, ging er seinem Vater zur Hand. Er schöpfte Wasser für die Herden und half ihm bei der Feldarbeit. Langsam kehrte wieder Ruhe ein in Husseins Zelt.
Es war kurz nach der Getreideernte. Auf dem Dreschplatz türmte sich das Korn und schimmerte golden in der Sonne. Von früh bis spät siebten Frauen die Weizenkörner, um Strohreste und Steinchen zu entfernen. Als die Arbeit beendet war, konnte die lange Kamel- und Eselskarawane, beladen mit prallen Säcken, endlich zur Mühle aufbrechen. Hamid, der Gäste zu bewirten hatte, schickte seinen Sohn Hussein mit auf die Reise.
Als die Karawane die Mühle unweit des Bauerndorfes erreicht hatte, war Hussein an der Spitze. Als Erster reihte er sich in die Schlange der Wartenden ein. Es herrschte reger Andrang, denn auch die Bauern hatten viele Getreideladungen zu mahlen. Es war die Zeit, in der die Mühle sich Tag und Nacht drehte.
Der Müller gab mit seiner Hand Anweisungen, wo sich jede Karawane anstellen sollte. Er war angesichts der vielen Arbeit gereizt, doch konnte er eine gewisse Freude über die guten Geschäfte nicht verbergen.
Als endlich nach langem Warten die Beduinen an die Reihe kamen, stand Hussein mit den gefüllten Säcken bereit. Der Müller half ihm, den ersten schweren Sack in die Mühle zu kippen. Der Mahlstein drehte sich und auf den ersten Sack folgte der zweite. Der Müller griff in das Mehl: „Weit und breit gibt es keine Mühle, die das Korn so fein mahlt!“, prahlte er.
Hussein nickte. Kaum hatte er den dritten Sack entleert, als ein Donnerhall die Mühle erschütterte. Kamele und Esel rissen sich

los, Getreidesäcke donnerten zu Boden und platzten. Eine Wolke von Mehlstaub umhüllte die Mühle. Hussein kroch, von Kopf bis Fuß mit Mehlstaub bedeckt, aus der Mühle und begann zu husten und zu niesen.

„Meine Mühle! Meine Mühle!", jammerte der Müller. Tränen rollten über sein Gesicht. „Welch ein Unglück!"

Die Mühlenbesucher waren bleich, ihre Gesichter lang. „Einen halben Tagesritt haben wir hinter uns und nun ist alles umsonst!", zeterte ein alter Beduine, als er sich den Mehlstaub aus seinem Gewand klopfte. „Dieser Unglücksrabe bringt es sogar fertig, dass eine Mühle, die bereits seit Generationen läuft, zusammenkracht!"

„Wirst du wohl still sein!", fauchte ihn der Karawanenführer an. „Haben wir nicht schon genug Schaden?" Er nahm den Alten beiseite: „Wenn der Müller von diesem Unglücksraben erfährt, lässt er keinen Beduinen mehr Korn mahlen." Der Karawanenführer mahnte seine Stammesgenossen zur Eile: „Es hat keinen Sinn, weiter Zeit zu vergeuden! Wir wollen so schnell wie möglich umkehren!"

Die Karawane wurde im Stammeslager bereits ungeduldig erwartet, denn die Frauen wollten frisches Fladenbrot backen. Doch wie groß war die Enttäuschung, als der Karawanenführer verkündete: „Wer Brot backen will, muss das Korn von Hand mahlen!"

Im Scheichzelt erzählte er, wie die Mühle bei Husseins drittem Getreidesack krachend zusammengebrochen war.

„Ihr wisst doch, dass Hussein ein Unglücksrabe ist. Warum habt ihr ihn als Ersten sein Korn mahlen lassen?", beschwerte sich

der Scheich, der Gäste zu bewirten hatte. Die Männer zuckten die Schultern.

Nach diesem Unglück beschloss Hussein, bei einem berühmten Derwisch Heilung zu suchen.

Der Derwisch hörte sich die Schilderungen an, dann winkte er ab: „Aus einem Unglücksraben einen Glücksbringer machen zu wollen ist, wie wenn man versuchen wollte, aus Rabenfedern Schwanenfedern zu machen. Ich kann viele Krankheiten heilen", fuhr der Alte fort, „doch gegen dieses Leiden bin auch ich machtlos!"

Und so blieb Hussein bis zum Ende seiner Tage, was er immer gewesen war: ein Unglücksrabe!

Amira hatte den Geschichten der drei Heiratsbewerber aufmerksam gelauscht. Einige Nächte lang wälzte sie die Geschichten in ihrem Kopf hin und her. Sie ließ die Gestalten der drei Erzähler vor ihren Augen entstehen, ließ ihre Stimmen in ihrem Ohr nachklingen und rief sich ihre Gestik und ihre Mimik in Erinnerung.

Eines Morgens sagte sie zu ihrer Großmutter: „Die drei Heiratsbewerber haben ihre Geschichten vorgetragen."

„Hast du deine Wahl getroffen?", fragte die Großmutter und schob sich ein Kissen unter ihren Kopf.

Amira zögerte.

Die Großmutter ließ nicht locker. „Wie viele Perlen sind übrig geblieben?"

„Alle drei!", erwiderte Amira. „Alle drei Geschichten haben mir gefallen. Ich bin genauso unschlüssig wie zuvor!"

Die Alte richtete sich auf. „Erzähl mir heute Abend die Geschichten. Vielleicht kann ich dir weiterhelfen!“
Am Abend schob die Großmutter Kamelbällchen in die Glut und fachte Feuer an. Sie kochte eine Kanne Minzetee, dessen Duft bald das Zelt erfüllte.
„Es wird eine lange Nacht werden!“, sagte sie.
Amira trank eine Schale Tee, dann begann sie zu erzählen. Immer, wenn sie eine Geschichte beendet hatte, schenkte ihr die Großmutter Tee nach.
Als der Morgenhahn krähte, hatte Amira die letzte Geschichte gerade beendet. Sie spürte, wie sie mit den Erzählungen die Großmutter in ihren Bann gezogen hatte.
„Deine Geschichten haben mir die lange Nacht verkürzt!“, sagte die Alte. „Doch nun lass uns ein wenig ausruhen.“
Drei Tage lang dachte die Großmutter nach. Dann wandte sie sich an ihre Enkeltochter. „Alle drei Geschichten haben mir Freude bereitet. Ich fühlte mich gut unterhalten!“
„Siehst du, Großmutter!“, frohlockte Amira. „Ich hatte doch Recht!“
Die Großmutter räusperte sich. „Höre, mit einer Zeltstange lässt sich kein Zelt bauen. Und wer eine Geschichte erzählt, kann sich noch nicht als Geschichtenerzähler rühmen.“
Amira schaute die Großmutter fragend an.
„Gib Talal, Khalil und Nabil drei Vollmonde Zeit, um dir erneut Geschichten zu erzählen. Dann fällt dir die Entscheidung vielleicht leichter.“
„Du könntest Recht haben“, murmelte das Mädchen.
Amira ließ den drei jungen Männern ihren Wunsch übermit-

teln. Die drei nahmen die Nachricht mit gemischten Gefühlen entgegen.
Missmutig kommentierte Khalil: „Gibt es keine andere Aufgabe im Leben, als Geschichten zu erfinden?“
Talal erinnerte sich an die Mühe, die ihn die Geschichte gekostet hatte und hoffte, dass keine weitere Aufgabe folgen würde.
Nabil schließlich war überzeugt, dass dieses Mädchen jede Anstrengung wert sei, und hoffte, aus dem Wettbewerb als Sieger hervorzugehen.

Die Zeit des Wartens

In der folgenden Nacht lag Amira auf ihrer Matratze und konnte keinen Schlaf finden. Unruhig wälzte sie sich hin und her. Das Meckern der Ziegen und das Bellen des Wachhundes ließen sie immer wieder aufschrecken. Mehrmals erhob sie sich und nahm einen Schluck aus dem Wasserkrug. Erst in den frühen Morgenstunden fielen ihr vor Müdigkeit die Augen zu.

Sie begann zu träumen. Wasserfluten, so hoch wie Zeltstangen, kamen auf das Stammeslager zu. Die Menschen flüchteten auf die umliegenden Hügel. Alle konnten sich retten. Nur ihre Mutter, die dem Esel zu Hilfe eilte, wurde von den Wogen fortgerissen. Der Schrei des Esels riss Amira aus dem Albtraum.

Als das Mädchen die Augen öffnete, stand die Großmutter neben ihrem Schlaflager. „Amira, das Frühstück steht bereit.“

Schlaftrunken erhob sich das Mädchen, trat vor das Zelt und

wusch sich Hände und Gesicht. Nachdem sie ihr Schlaflager beiseite geräumt hatte, setzte sie sich an die Feuerstelle. Die Großmutter reichte ihr eine Schale Milch und ein Fladenbrot.
Kurz danach gesellte sich der Vater zu den beiden. Er trank ein Glas Tee, winkte jedoch ab, als die Großmutter ihm ein Fladenbrot und eine Schale mit Ziegenkäse reichen wollte.
„Omar, mein Sohn, warum willst du nicht frühstücken?"
„Ich habe keinen Appetit, Mutter", gab er zur Antwort. „Das Kamel macht mir Sorgen, es ist krank."
„Für jede Krankheit gibt es ein Heilmittel, nur gegen das Alter ist kein Kraut gewachsen", munterte die Großmutter ihren Sohn auf.
Omar erhob sich. „Ich will den Kamelrichter aufsuchen. Er kennt sich am besten mit den Tieren aus."
Omar kletterte den steinigen Weg zum Hügel hinauf.
„Dein Morgen sei gesegnet", empfing ihn der Kamelrichter im Scheichzelt. „Setz dich zu uns."
Der Scheich reichte dem Ankömmling ein Schälchen Kaffee.
„Du bist mir zuvorgekommen, nach dem Morgenkaffee wollte ich dich in deinem Zelt aufsuchen", wandte sich der Kamelrichter an Omar. „Mir ist zu Ohren gekommen, dein Kamel ist krank."
„Ja, es frisst kaum etwas und leidet an Durchfall", klagte Omar.
Der Kamelrichter machte ein besorgtes Gesicht. „Gestern Abend war ich bei Ali, seinem Kamel geht es ähnlich wie dem deinen."
„Ich habe gestern meinen alten Freund, Scheich Zayed, besucht", schaltete sich der Scheich ein. „Unterwegs kam ich am

Weideplatz vorbei. Dort wuchert das verfluchte Kraut, das unseren Tieren Bauchschmerzen bereitet."

„Bevor die Krankheit um sich greift, müssen wir handeln!", beschied der Kamelrichter. „Die Kamele waren lange nicht auf der Salzweide."

Der Stammesälteste pflichtete ihm bei: „Die Kräuter auf der Salzweide reinigen die Bäuche der Kamele."

„Je früher wir handeln, umso besser", meinte der Karawanenführer. „Morgen brechen wir mit unseren Kamelen zum Toten Meer auf."

Die Nachricht von der bevorstehenden Wanderschaft verbreitete sich im Zeltlager wie ein Lauffeuer. Das Morgenfeuer war noch nicht gelöscht, da eilte eine Frau mit ihrem schreienden Kind an der Hand zum Zelt des Karawanenführers. „Mein Sohn leidet an einem juckenden Hautausschlag!", redete sie auf den Mann ein und hob das Gewand des Kindes hoch. „Ich habe gehört, dass die Karawane morgen zum Toten Meer aufbricht. Die Hebamme riet mir, das Kind dort baden zu lassen." Die Frau war ganz außer Atem.

„Meinetwegen", brummte der Karawanenführer.

Kaum hatte die Frau das Zelt verlassen, kam die nächste Frau angelaufen. „Mein Kind hat einen feuerroten Hintern, es kratzt sich unaufhörlich und lässt uns in der Nacht nicht schlafen. Ich habe gehört …"

Der Karawanenführer schlug die Hände über dem Kopf zusammen, als eine dritte Frau auf das Zelt zueilte und schon von weitem rief: „Oh, Helfer in der Not! Meine Zwillinge haben starken Husten, sie bellen wie die Hunde. Du musst sie unbedingt mitnehmen!"

Bis zum Abend hatte sich ein gutes Dutzend besorgter Mütter gemeldet, die ihre Kinder zum Toten Meer schicken wollten.

Am Abend saß der Karawanenführer im Scheichzelt und zog aufgeregt an seiner Pfeife. Der Scheich goss ihm ein Schälchen Kaffee ein.

„Morgen wird also Hamid, unser Karawanenführer, zum Toten Meer aufbrechen."

„Das ist keine Neuigkeit", entgegnete Hamid verstimmt. „Die Nachricht hat sich schneller verbreitet als mir lieb ist." Er stützte seinen Kopf in die Hand und schaute auffordernd in die Runde. „Ich habe mehr Kinder als Kamele in meiner Karawane. Sagt mir, bin ich Karawanenführer oder Amme?"

Einige der Anwesenden suchten ihr Lachen zu unterdrücken.

„Habe ich nicht genug mit den Kamelen zu tun?", ereiferte sich der Karawanenführer. „Die Hebamme soll mit den Kleinen eine eigene Karawane ausrichten!"

Der Scheich reichte Hamid eine Hand voll Feigen und klopfte ihm auf die Schulter. „Beruhige dich, Bruder. Wir wissen, dass du ein berühmter Karawanenführer bist, doch du hast auch ein großes Herz." Der Scheich hielt kurz inne. „Sind die Kamele wichtiger als unsere Kinder?"

Der Karawanenführer rutschte unruhig hin und her.

Der Stammesälteste mischte sich ein: „Die Kinder sind unsere Zukunft, heute tragen wir sie und morgen werden sie uns tragen."

„Du hast gut reden", erwiderte der Angesprochene. „Du als Stammesältester hockst im Scheichzelt und lässt dich bedienen. Ich als Karawanenführer dagegen trage die Verantwortung für die Karawane."

„Ich weiß, ich weiß", sagte der Scheich. „Doch gib deinem Herzen einen Stoß. Ein paar Mädchen und Frauen werden die Kinder begleiten. Du wirst keine Arbeit mit ihnen haben."

„Also gut", brummte der Karawanenführer.

Um sich die Zeit des Wartens zu verkürzen, nahm Amira die Gelegenheit wahr, die Karawane zu begleiten. Noch nie hatte sie das Tote Meer gesehen. Voller Spannung sah sie dem Aufbruch entgegen. Am Abend packte sie die Satteltaschen, verstaute ihr Stickzeug und vergaß auch nicht, einen Beutel Rosinen mitzunehmen.

„Bring Salz mit vom Toten Meer!", rief die Großmutter Amira nach, als das Mädchen am nächsten Morgen mit ihrem Kamel um das Zelt bog.

Am Rande des Zeltlagers zügelte der Karawanenführer sein Kamel und blickte zurück. Er zählte siebenunddreißig Kamele, einen Esel, drei Hirten, vier Frauen, drei Mädchen und ein Dutzend Kinder. Die Zwillinge steckten in den Satteltaschen des Esels, während ihre Mutter auf dem Rücken des Tieres thronte. Die älteren Kinder saßen auf den Reitkörben der Kamele und winkten dem Karawanenführer zu.

„So eine seltsame Karawane habe ich in meinem ganzen Leben noch nie angeführt", sprach der Alte bei sich und schüttelte den Kopf.

Die Karawane kam nur schleppend voran, da einige Kamele angeschlagen waren. Immer wieder musste Hamid die jungen Kamele zügeln, die allzu forsch vorausliefen.

Vor der großen Mittagshitze erreichten sie eine kleine Oase, die sich zur Rast anbot. Im Schatten der Palmen ließ der Karawanenführer die Tiere niederknien. Die Hirten luden die Satteltaschen ab und tränkten die Tiere. Die Kinder spielten ausgelassen zwischen den Palmenstämmen Fangen. Der junge Said, der wie eine Katze einen Palmenstamm erklommen hatte, bewarf die anderen Kinder mit vertrockneten Datteln.

Während einer der Kamelhirten die Ledersäcke mit Wasser füllte, fachte ein anderer Feuer an. Die Frauen packten ihren Proviant aus, und als der Tee in der Kanne brodelte, fanden sich die Kinder an der Feuerstelle ein. „Ihr seid tapfer", lobte sie der Karawanenführer. „Bestimmt seid ihr hungrig von der langen Reise."

Nachdem sich alle gestärkt hatten, bekam jeder noch eine Schale Tee.

Ein neugieriges Kind wandte sich an Hamid: „Hast du das Tote Meer schon einmal gesehen?"

Der Alte lachte. „Ich war öfter dort, als es mir lieb ist. Unzählige Male habe ich die Salzkarawane dorthin begleitet."

„Warum heißt das Meer das Tote Meer?", wollte der Kleine wissen.

„Das Tote Meer ist ein besonderes Meer", entgegnete Hamid. „Sein Wasser ist so salzig, dass kein Fisch und auch kein anderes Lebewesen darin existieren kann."

„Ein Meer ohne Fische?"

Der Karawanenführer nickte. „Das Tote Meer liegt tief im Bauch der Erde. Wenn wir in zwei Tagen die Berge hinabklettern, werdet ihr den Druck auf den Ohren spüren. Einmal, als ich vor langer Zeit eine Karawane anführte, stolperte ein Kamel beim Abstieg. Nur mit Mühe konnten wir es vor dem Absturz retten. Und das Salz! In manchen Jahren haben wir mehr als hundert Säcke davon mitgenommen!"

„Was habt ihr mit so viel Salz gemacht?", schaltete sich ein Mädchen ein.

„Wir haben Salzhandel getrieben. In den Jahren, in denen der Regen ausblieb, konnten wir für Salz Getreide eintauschen. Doch das ist lange her."

Der Alte blickte versonnen in die Ferne.

„Unser Handel auf den Märkten der Städte florierte, bis eines Tages die Engländer unser Land eroberten. Sie verboten uns, mit dem Salz Handel zu treiben. Schwere Zeiten brachen für uns an. Erwischten die Soldaten einen Salzhändler, so beschlagnahmten sie das Kamel samt der Ladung und steckten den Händler ins Gefängnis."

Der Karawanenführer gähnte. „Bevor wir aufbrechen, möchte ich mich noch ein wenig ausruhen. Der Weg ist weit und steinig." Er streckte sich aus und kurze Zeit später schlief er auch schon.

„Der Alte würde auch im Stehen schlafen", flüsterte Nura, die Mutter der Zwillinge, Amira ins Ohr. „Er ist an Entbehrungen gewöhnt."

Am späten Nachmittag zog die Karawane weiter. Der Weg war zwar steinig, doch sie kamen gut voran.

Noch vor Einbruch der Dämmerung hielt der Karawanenführer Ausschau nach einem geeigneten Rastplatz.
„Dort hinten, unter dem Felsvorsprung, werden wir unser Schlaflager aufbauen“, sagte er und deutete auf eine Schlucht. Er stieg von seinem Kamel ab und steuerte auf sie zu. Am Eingang zur Schlucht deutete er auf ein Aschehäufchen. „Das ist eine gute Feuerstelle“, sagte er. „Unter diesem Felsvorsprung findet jeder einen windgeschützten Platz zum Schlafen.“
Nura, die zwischen zwei großen Steinbrocken ein Plätzchen für sich und ihre Kinder gefunden hatte, winkte Amira zu sich. „Neben uns ist noch ein Platz für dich.“ Sie ließ den Sand durch ihre Finger gleiten. „Der Sand ist hier feinkörniger als bei uns!“
Amira entlud ihr Kamel, und nachdem sie ein paar Steine zur Seite geräumt hatte, breitete sie ihr Schaffell aus und legte eine gewobene Decke darauf. Dann begab sie sich zur Feuerstelle.
„Setz dich“, sagte eine Frau, die mit dem Löffel im Topf rührte. „Die Weizensuppe ist gleich fertig.“
„Die Suppe duftet herrlich“, lobte der Karawanenführer, der hinzutrat.
„Ich hatte in meinem Beutel noch eine Hand voll getrockneter Tomaten“, lachte die Frau. „Das gibt der Suppe die richtige Würze. Was noch fehlt ist Salz.“
Hamid griff in seine Gewandtasche und zog einen Beutel heraus. „Salz darf nicht fehlen.“
Als die Bäuche satt waren, kauerten sich alle um die Feuerstelle, zogen ihre Umhänge und Mäntel enger um sich und genossen den süßen Tee. Alles war still ringsum, nur das leise Knistern des Feuers war zu vernehmen. Mittlerweile war die Dunkelheit

hereingebrochen. „Hörst du den Hund bellen?“, unterbrach Said die Stille.
Der alte Hamid lachte: „Hier leben weit und breit keine Menschen. Es ist kein Hund, sondern ein Fuchs. Vielleicht haben wir ihn von seinem Schlafplatz vertrieben.“
Die Kinder machten große Augen.
„Ihr braucht keine Angst zu haben“, sagte der älteste Hirte, „wir halten Wache.“
„Gibt es hier Räuber?“, wollte Aziza wissen.
„Wenn sich einer hierher verirrt, werden wir ihn gebührend empfangen“, beruhigte sie der Hirte und deutete auf seinen Dolch. „Und eine Feuerwaffe haben wir auch noch!“ Er wechselte einen bedeutungsvollen Blick mit dem Karawanenführer. „Du solltest uns etwas erzählen!“
„Du hast Recht“, erwiderte dieser. „Erzählen verkürzt die Nacht.“ Der Karawanenführer schaute versonnen auf die züngelnden Flammen.
„Da wir auf dem Weg zum Toten Meer, der Quelle des Salzes sind, möchte ich euch etwas über das Salz erzählen.“ Der Alte goss sich ein Glas Tee ein und nahm einen kräftigen Schluck. „Viele Geschichten ranken sich um das Salz“, fuhr er fort. „Es ist nicht nur unentbehrlich für unsere Nahrung, es spielt auch eine wichtige Rolle in unseren Sitten und Gebräuchen. Hat ein Besucher im Gastzelt Brot und Salz genossen, so ist er mit dem Gastgeber verbunden. Das bedeutet, dass Frieden zwischen den beiden herrscht.“
Die Zuhörer blickten den Alten aufmerksam an.
„Ich war vierzehn Jahre alt, als sich folgende Geschichte zutrug.

Unser Stamm geriet in Streit mit einem benachbarten Zeltlager. Alles fing ganz harmlos an. Zwei Hirten aus den beiden Stämmen wollten im selben Wadi ihre Tiere weiden. Es war eine Stelle, wo besonders saftige Kräuter wuchsen. Der Hirte des Nachbarstammes alarmierte seine Stammesbrüder, die ihm zu Hilfe eilten und unseren Hirten vom Weideplatz vertrieben. Am nächsten Tag begleiteten die Männer unserer Sippe den Hirten und verjagten die Herde des Gegners. Der Streitfall gipfelte in einer Schlägerei zwischen den Angehörigen beider Stämme, bei der es mehrere Verletzte gab.
Der Scheich eines dritten Stammes schaltete sich als Vermittler ein, um den Streit friedlich beizulegen. Doch seine Bemühungen waren erfolglos, die Streithähne wollten nicht voneinander lassen.
Der Konflikt dauerte an, bis ein Mann des Nachbarstammes auf eine kluge Idee verfiel: Er sattelte seine Stute und machte sich auf den Weg in unser Zeltlager. Bevor er unseren Stamm erreichte, verschleierte er sein Gesicht. Schnell wie ein Pfeil ritt er auf das erste Zelt zu.
‚Ein Räuber!', rief der Scheich und trommelte seine Männer zusammen.
Doch bevor die Reiter den Fremden abfangen konnten, hatte dieser das Zelt schon erreicht. Der Mann lüftete seinen Schleier.
‚Ich bitte die Zeltherrin um Salz und Brot!'
Die Frau überreichte dem Reiter Salz und Brot. Dieser nahm einen Bissen davon.
‚Wer ist dieser Reiter?', rief der Scheich, der mit seinen Stammesbrüdern auf das Zelt zukam.

‚Ich bin Ibrahim ben Abd-Allah vom Stamm der Terabin!‘
Der Stammesführer zuckte unmerklich zusammen.
‚Ich habe ihm Salz und Brot gereicht‘, mahnte die Frau. ‚Er steht unter meinem Schutz!‘
‚Ich kenne die Sitten und Gebräuche der Wüste‘, erwiderte der Scheich unwirsch. ‚Komm mit in das Scheichzelt‘, wandte er sich an den Reiter, ‚und trage uns dein Anliegen vor.‘
Der Fremde ließ sich nicht zweimal bitten und folgte der Männerschar. Im Scheichzelt reichte man dem Reiter ein Schälchen Kaffee. Dieser ergriff das Wort:
‚Niemand verfolgt mich und ich bin auch nicht in Not. Vielmehr bin ich gekommen, um den Streit zwischen unseren Stämmen beizulegen. Seit Generationen leben unsere Stämme in guter Nachbarschaft. Soll uns ein solcher Streit trennen?‘
‚Keiner ist über den Streit glücklich‘, erwiderte der Scheich. ‚Ihr habt Verluste zu beklagen und wir haben Verluste erlitten. Jeder Stamm sollte seine eigene Wunde lecken.‘
Der Reiter nickte.“
Der Karawanenführer schob die Teekanne in die heiße Asche und schaute in die Runde. „So war das Eis gebrochen und der Streitfall konnte beigelegt werden.“
Als der Alte geendet hatte, suchte jeder seinen Schlafplatz auf und schlüpfte unter seine Decke.

Am dritten Tag zur Zeit des Mittagsgebets erreichte die Karawane den Rand des großen Grabens. In der tiefen Senke erblickten die Reisenden das smaragdgrüne Wasser des Toten Meeres, das von Bergketten umsäumt war.

Die Mutter der Zwillinge war begeistert: „Ein herrlicher Blick! Schaut nur, die Berge sind verschiedenfarbig geschichtet, rosa, lila und ockerfarben!“
„Dieser Blick zieht jeden in den Bann“, erwiderte der Karawanenführer. „Die Landschaft scheint magische Kräfte in sich zu bergen.“
„Möge sie unseren Kindern und unseren Kamelen Heil bringen“, murmelte Nura.
Der Karawanenführer wandte sich an die Mitreisenden: „Das Meer scheint nahe zu sein, doch der Blick trügt. Der Abstieg ist lang und beschwerlich.“
Er winkte einem Hirten zu: „Sallam, du bist der Erfahrenste von allen. Ich führe die Karawane an und du bildest den Schluss des Zuges. Jeder soll sich merken, wer vor ihm und wer hinter ihm geht.“
Hamid schaute sich um. „Amira, achte auf die Kinder!“, wandte er sich an das Mädchen. „Jeder soll noch einen Schluck Wasser nehmen! Dann beginnen wir mit dem Abstieg!“
Er blickte nach oben und sah zwei Raubvögel, die einen Berggipfel umkreisten. „Diese Vögel sind zu beneiden“, murmelte er. „Wie schwach der Mensch doch dagegen ist! Strecken, für die wir Tage brauchen, legen sie in kurzer Zeit zurück.“
Der Karawanenführer, der über einen reichen Schatz an Erfahrungen verfügte, folgte einem schmalen Pfad, der kaum sichtbar war. Ab und zu drehte er sich nach dem alten Hirten um, der den Zug abschloss. Wenn dieser ihm mit der Hand ein Zeichen gab, setzte er den Weg fort.
Nachdem sie ein Drittel des Abstiegs geschafft hatten, stießen

sie auf einen beschrifteten Felsbrocken. Der Alte stoppte die Karawane und rief nach einem der Jungen: „Ghazi, du hast doch die Koranschule besucht! Kannst du diese Inschrift für uns entziffern?"
Der Junge beugte sich über den Felsbrocken. „Hier steht geschrieben, dass wir uns auf der Höhe des Meeresspiegels befinden."
Der Karawanenführer lachte: „Ab jetzt geht es in den Schlund der Erde. Es wird heiß werden!"
„Allahs Augen mögen uns beschützen", seufzte Amira, die wunde Füße hatte.
Nach geraumer Zeit führte der Pfad durch eine Felsenge, durch die die beladenen Kamele nur mühsam hindurchkamen. Zwei Kinder, die hintereinander auf einem Kamelsattel saßen, machten sich ein Vergnügen daraus, sich mit den Händen an dem Fels festzuhalten. Dabei verlor das hintere Kind das Gleichgewicht und stürzte zu Boden.
Ein lauter Schrei hallte wider. „Said! Said!", schrie Amira aus Leibeskräften. Mit letzter Kraft zügelte sie ihr Kamel und sprang zu Boden. „Allah steh uns bei!", flehte sie, während sie das Kind an sich drückte.
Die Mutter der Zwillinge war schnell zur Stelle.
„Mein Fuß! Mein Fuß!", jammerte Said.
„Du hattest Glück im Unglück", tröstete Amira den Jungen. „Mein Kamel hat dir nur auf den Fuß getreten, fast hätte es deinen Bauch erwischt."
Keuchend kämpfte sich der Karawanenführer zur Unfallstelle durch. „Wo tut es dir weh?", wollte er wissen.

Der Junge deutete stumm auf seinen linken Fuß. Der Alte tastete den Fuß sorgfältig ab und drehte das Fußgelenk behutsam hin und her.
Said schrie auf.
„Es ist kein Bruch“, stellte der Karawanenführer fest. „Der Fuß ist nur verstaucht. Amira, gib mir deinen Wassersack“, bat der Alte das Mädchen.
Er goss Wasser über den verletzten Fuß, streute Salz darüber und bandagierte ihn mit seinem Kopftuch. „Höre, was ich dir sage“, ermahnte er den Jungen. „Du darfst mit dem Fuß nicht auftreten!“
„Ich nehme ihn zu mir auf das Kamel“, erklärte sich Amira bereit. „Und beim Gehen kann ich ihn stützen.“
„Du hast ein noch schlimmeres Unglück verhindert“, lobte der Karawanenführer Amira, als er Said auf ihr Kamel hob.
Als der Alte wieder die Spitze der Karawane erreicht hatte, sah er, dass sein Kamel in der Zwischenzeit seine Ladung abgeworfen hatte. „Das fehlte mir noch!“, schimpfte er. „Der Scheich hockt in seinem Zelt auf dem Teppich und schlürft seinen gewürzten Kaffee und ich habe den ganzen Ärger am Hals. Warum bin ich nur Karawanenführer geworden?“
Missmutig lud er die schweren Satteltaschen auf sein Tier. „Das machst du nicht noch einmal“, zürnte er und wischte sich mit einem Zipfel seines Gewandes die Schweißperlen von der Stirn. „In diesen Backofen der Erde muss ich jetzt ohne Kopfbedeckung hinabsteigen. Es fehlt nur noch, dass ich einen Sonnenstich bekomme.“
Aziza kramte in ihrer Brusttasche und zog ein mit Perlen ver-

ziertes Taschentuch heraus. „Besser als nichts“, bemerkte sie, als sie dem Karawanenführer das Tuch überreichte.
Brummelnd breitete der Alte das Tuch über seine Glatze und befestigte es mit dem schwarzen Ring, dem Agal.
Amira kamen vor Lachen die Tränen. Die Kinder johlten.
„Bist du ein Mann oder eine Frau?“, rief der Junge, der mit Said gemeinsam auf dem Kamel gesessen hatte.
Der Alte wurde puterrot vor Zorn. „Du Satansbraten, wenn du nicht sofort die Klappe hältst, dann lass ich dich als Beute für die Schakale zurück! Euretwegen mache ich mich hier noch zum Narren!“
Alle verstummten.
Wortlos drehte sich der Karawanenführer um und gab seinem Kamel einen Hieb.

Als die Abendsonne die Berggipfel in ein rosarotes Licht tauchte, hatte die Karawane die Senke erreicht.
„Gelobt sei der Stammesahn!“, seufzte der Alte, „das war ein gefährlicher Abstieg.“ Er gab der Karawane ein Zeichen: „Hier werden wir die Zelte aufschlagen. Es gibt Salzpflanzen in Hülle und Fülle und das Meer ist auch nicht weit.“
Amira blickte wie gebannt auf das Wasser. Es war windstill. Die Wasseroberfläche sah in der Abenddämmerung wie ein Spiegel aus. Sie ließ ihr Kamel niederknien, hob den verletzten Said hoch und setzte ihn in den Sand.
Während die Hirten die Kamele von den Lasten befreiten, begannen die Frauen und Mädchen die Zelte aufzuschlagen.
Der Karawanenführer band den Kamelen die Vorderbeine zu-

sammen. „Jetzt kannst du grasen, so viel du willst“, flüsterte er seinem Tier ins Ohr. „Die Salzpflanzen werden dir gut tun.“
Die Kinder, die während der beschwerlichen Reise lange still sitzen mussten, sprangen ausgelassen herum. „Bald wirst du auch wieder rennen können“, munterte Amira den verletzten Jungen auf.
„Wir machen ein Rennen zum Wasser!“, schlug ein Mädchen vor.
„Keiner verlässt den Zeltplatz!“, beschied der Karawanenführer. „Es ist gleich dunkel!“
Der Alte war einsilbig an diesem Abend. Er löffelte seine Linsensuppe und trank seinen Tee. Und nachdem er die Hirten zur Nachtwache eingeteilt hatte, wünschte er allen eine friedliche Nacht und legte sich unter seinem Umhang zur Ruhe.
„Der Karawanenführer hat einen anstrengenden Tag hinter sich“, bemerkte Nura, als sie ein leises Schnarchen hörte.
Amira legte Reisig auf die Glut. „Zeig mir deinen Fuß!“, sagte sie zu Said. Vorsichtig löste sie die Bandage und betrachtete im Feuerschein des lodernden Reisigs den verletzten Fuß. „Er ist schon etwas abgeschwollen. Ich wasche ihn noch einmal mit Salzwasser. In der Nacht brauchen wir die Bandage nicht mehr.“
Sie faltete das Tuch sorgfältig zusammen. „Hamid wird sich morgen über seine Kopfbedeckung freuen.“
Said streckte sich aus, Nura deckte ihn mit einem Teppich zu und setzte sich neben ihn. Sie strich dem Jungen über den Kopf: „Morgen kannst du deinen kranken Fuß im Toten Meer baden und du wirst sehen, bald rennst du wieder wie eine Gazelle.“
Nach und nach fanden sich die Mädchen, Frauen und Kinder bei

Amira ein. Sie scharten sich um die Feuerstelle vor dem Zelt. Amira kochte Tee.
Hinter der Bergkette erhob sich der Mond. Seine Silberstrahlen spiegelten sich auf der Wasseroberfläche wider.
„Der Mond sieht größer aus als in unserem Zeltlager", meinte Said.
„Es ist derselbe Mond", lächelte Aziza.
Nura tätschelte den verletzten Jungen: „Was siehst du im Mond?"
„Einen Baum!"
„Richtig", erwiderte die Frau. „Du hast gute Augen."
Die Kinder reckten ihre Hälse und forschten nach dem Baum.
„Es ist der Baum des Lebens", fuhr Nura fort. „Jeder Mensch hat von Geburt an ein Blatt an diesem Baum. Solange das Blatt festsitzt, lebt der Mensch. Fällt es herunter, so stirbt er."
„Wo ist mein Blatt?", erkundigte sich neugierig einer der Zwillinge.
„Mit bloßem Auge ist es nicht zu sehen, doch ich kann dir versichern, dass es festhängt, denn du bist noch jung, mein Kind!"
Der kleine Junge lächelte zufrieden.
„Und wie steht es mit meinem Blatt?", wollte Said wissen.
„Es hängt sehr fest, nicht einmal dein Sturz konnte es lösen", beruhigte ihn Amira.
„Und wie ist es mit dem Blatt des Karawanenführers?", fragte neugierig der andere Zwilling.
„Weißt du, in seinem Alter ist das Blatt angewelkt und ab und zu wackelt es, doch eine Weile wird es schon noch halten", schaltete sich eine andere Frau ein.

Amira sammelte die Teegläser ein. „Es ist schon spät. Wir sollten uns zur Ruhe begeben. Der Mond und die Hirten werden Wache halten."

Hamid erwachte am nächsten Morgen als Erster. Leise erhob er sich und schaute nach den Kamelen.
„Eine ruhige Nacht", sagte der Hirte, der als Letzter Wache geschoben hatte.
Der Karawanenführer nickte. „Du kannst dich jetzt schlafen legen."
Der Hirte, dessen Augenlider ganz schwer waren, packte unverzüglich seinen Umhang und suchte sein Schlaflager auf.
Hamid ging von Kamel zu Kamel. Einige der Tiere knabberten an den Kräutern, die meisten von ihnen schauten gelangweilt in die Gegend.
„Ihr seid satt", scherzte er. „Die Reise hat sich schon jetzt gelohnt!"
Die beiden kranken Tiere lagen noch am Boden. Der Karawanenführer schürzte sein Gewand und begann Kräuter auszuzupfen. „Ich sammle Salzpflanzen für euch. In einigen Tagen werdet ihr gesund und kräftig sein." Bald hörte man das Mahlen der Mäuler.
Der Karawanenführer wandte sich von den Kamelen ab und hielt Ausschau nach Brennmaterial. Er fand eine Ladung vertrockneter Kamelbällchen. Er nahm ein Bällchen zwischen Daumen und Zeigefinger und rollte es hin und her. „Ein gutes halbes Jahr", schätzte er. „Sie werden hervorragend brennen!" Als er auch noch trockene Palmwedel fand, war er zufrieden. „Das

wird reichen, bis die Bällchen unserer eigenen Kamele getrocknet sind. Bei dieser Hitze geht das schnell!"

Hamid fachte Feuer an, setzte den großen Teekessel auf und molk eine Kamelstute. Dann bereitete er aus Mehl, Salz und Wasser einen Teig, drückte ihn zu einem großen Fladen und schob ihn in die heiße Asche.

Nach und nach erwachten die anderen.

Schlaftrunken hob Amira den Kopf und schaute aus dem Zelt. Sie schnüffelte unter ihrer Achsel. „Seit Tagen habe ich mich nicht mehr gewaschen. Ich freue mich auf das Wasser", sagte sie bei sich.

Sie hörte den Alten rufen: „Das Frühstück ist fertig!"

Amira nahm das verletzte Kind hoch und trug es zur Feuerstelle. Der Karawanenführer zog den heißen Fladen aus der Asche, klopfte ihn ab und legte ihn auf einen Stein. Dann streute er Thymian auf den Fladen, zerlegte ihn und reichte jedem ein Stück.

Amira tauchte das noch warme Brot in die Milchschale und verzehrte es genüsslich. „Du bist ein guter Bäcker", lobte sie den Alten.

„Meine Frau hat mich vor allem deswegen geheiratet, weil ich gut Brot backen kann!", scherzte der Karawanenführer.

„Das ist auch nicht der schlechteste Grund", kommentierte Nura.

Der Alte reichte dem verletzten Said ein zweites Stück Brot. „Dafür bekomme ich mein Kopftuch wieder. Wenn mich hier in der Gegend jemand mit dem Taschentuch auf dem Kopf sieht, ist mein Ruf ruiniert."

Der Alte wandte sich an die Hirten: „Zwei von euch sollen sich um die Kamele kümmern, der dritte soll die Zelte im Auge behalten.“ Dann schaute er sich um: „Wer will mit mir zum Meer kommen?“

Johlend stürzten die Kinder voraus, die Frauen und Mädchen folgten ihnen. Amira stützte Said.

Am Strand warfen die Kinder ihre Gewänder ab und liefen in das Wasser. Der Karawanenführer, der sich beeilt hatte, die Kinder einzuholen, hörte einen lauten Schrei.

„Hilfe! Mein Hintern!“

Der Alte schürzte sein Gewand und zog den Schreihals aus den Fluten.

„Mein Hintern brennt wie Feuer!“, klagte das Kind.

„Dann müssen wir ihn löschen“, scherzte der Karawanenführer.

Er übergab den Kleinen seiner Mutter. „Dort drüben ist eine Quelle mit Süßwasser. Wasch ihm den Hintern!“

„Hört zu!“, rief Hamid dann. „Raus aus dem Wasser, kommt alle zum Strand!“

Die Kinder scharten sich um den Karawanenführer. „Das Wasser ist sehr salzig, passt auf, dass kein Tropfen in eure Augen kommt. Ihr dürft nicht zu wild plantschen. Habt ihr mich verstanden?“

Die Kinder schrien laut: „Ja!“

Der Alte hob den Zeigefinger: „Ihr dürft nur bis zum Bauchnabel ins Wasser gehen.“

„Aber das Salzwasser trägt uns doch!“, entgegnete ein Junge.

„Richtig“, erwiderte der Karawanenführer, „trotzdem muss man vorsichtig sein. Es sind hier schon Menschen ertrunken!“

Der Alte schaute sich um. „Ich habe eine Idee!" Er verschwand hinter einem Felsbrocken. Kurze Zeit später kam er wieder und zog einen abgebrochenen Palmenstamm hinter sich her. „Er ist schon hohl, doch für unsere Zwecke gerade richtig." Er schob den Palmenstamm ins Wasser, hielt ihn an einem Ende fest und forderte die Kinder auf, sich daran festzuklammern.

„Ich bin nicht nur Karawanenführer, sondern auch Bademeister", scherzte er, als er den Stamm durch das seichte Wasser zog. Während sich die Kinder vergnügten, saß Said auf einem Steinbrocken und hängte die Füße ins Wasser. Amira suchte sich unterdessen eine abgelegene Stelle und betrachtete versonnen das smaragdgrüne Wasser. Die Morgensonne war gerade über dem Berggipfel aufgegangen. Noch war es angenehm lau. In wenigen Stunden würde die brütende Mittagshitze sie in den Schatten treiben.

Das Mädchen schloss die Augen. Die Aufregungen der Wanderschaft hatten sie abgelenkt, doch in dieser Stille wurden die Erinnerungen wach. Die drei Heiratsbewerber kamen ihr wieder in den Sinn. Würde sie sich dieses Mal entscheiden können?

„Amira! Was sitzt du hier so allein?"

„Oh, Aziza. Ich genieße die Ruhe."

Das Mädchen trat näher. „Das Meer ist voller Geheimnisse!", sagte Aziza und tauchte ihre Zehen ins Wasser. „Lass uns ins Wasser gehen", schlug sie vor.

„Ich kann doch nicht schwimmen", erwiderte Amira.

Aziza zuckte mit den Schultern: „Meinst du, ich kann schwimmen? Wir gehen nicht tief in das Wasser. Nur bis zur Brust."

Amira zog ihr Kleid aus. Aziza schaute sie fragend an.

„Hier sieht uns niemand!“, ermunterte Amira die Freundin. Die beiden legten ihre rot bestickten Kleider auf einen Stein, fassten sich an den Händen und gingen Schritt für Schritt in das Wasser. Die Unterkleider klebten ihnen an der Haut. Als das Wasser ihnen bis zur Brust stand, hielten sie inne.
„Weiter traue ich mich nicht hinein“, sagte Aziza.
„Wir können die Unterkleider ausziehen“, schlug Amira vor.
„Gut“, erwiderte Aziza, „dann kann ich dir auch den Rücken waschen.“
Vorsichtig zogen sie die Unterkleider über den Kopf.
Amira hüpfte auf und ab, sodass das Wasser ihre Brüste umspielte. „Deine Brüste sind groß und fest wie Zitronen“, bemerkte Aziza.
„Und deine Brüste sind rund wie Granatäpfel“, gab Amira zurück.
Aziza ließ Wasser über Amiras Rücken rinnen und massierte ihr den Nacken. „Das tut gut“, stöhnte Amira genussvoll.
„Die Reise war anstrengend und Said ist auch nicht gerade ein Federgewicht.“ Amiras schwarzer Haarzopf schwamm auf dem Wasser. „Ich wasche dich wie eine Braut“, scherzte Aziza.
Amira schwieg.
Nachdem sich die beiden Mädchen eine Zeit lang vergnügt hatten, schlüpften sie aus dem Wasser, zogen sich an und machten sich auf den Weg zu den anderen.
Der Palmenstamm lag verlassen am Strand, doch sie hörten das Lachen der Kinder. Sie folgten den Stimmen und waren nicht wenig erstaunt, als sie in einer kleinen Bucht auf die Kinderschar stießen. Der Karawanenführer hatte sie mit Schlamm ein-

gerieben. Sie sahen aus wie eine Herde schwarzer Ziegen. Ausgelassen sprangen die Kleinen umher.

Die beiden Mädchen kicherten. Amira rümpfte die Nase: „Hier stinkt es wie in der Vorhölle!"

Der Karawanenführer lachte: „Das ist der Schwefel in der Luft. Atmet tief durch, das reinigt die Lungen!" Der Alte lächelte schalkhaft: „Wollt ihr auch in den Schlamm eintauchen? Es gibt nichts Besseres für die Haut. Der Schlamm heilt alle Hautkrankheiten!"

„Nein danke!", wehrten die beiden ab.

Die Mädchen setzten sich in den Sand und schauten dem bunten Treiben eine Weile zu. „Hamid, so wie du dich um die Kinder kümmerst, könntest du der Hebamme zur Hand gehen!", schmunzelte Amira.

„Wenn ich keine Karawanen mehr führen kann, werde ich über deinen Vorschlag nachdenken", erwiderte der Alte. „Aber ihr könntet mir einen Gefallen tun. Der Schlamm darf nicht zu lange einwirken, sonst brennt die Haut. Führt die Kinder zur Quelle Ain Gedi, dem Auge des Zickleins, und wascht sie gründlich ab."

Um die Mittagszeit fanden sich alle in den Zelten ein. Amiras Magen knurrte. „Ich habe Hunger wie ein Löwe", stöhnte sie.

„Wie schade, dass es hier keine Fische gibt", bemerkte Aziza.

„Ja, die Meeresluft macht hungrig", schaltete sich der Karawanenführer ein. „Aber ein Kamel kann ich nicht für euch schlachten und Ziegen haben wir keine dabei."

Sallam, der Hirte, meldete sich zu Wort: „Ich habe eine Falle mitgebracht. Am späten Nachmittag versuche ich mein Glück. Bis dahin müsst ihr euch mit Linsensuppe begnügen."

Als die brütende Mittagshitze vorüber war, nahm der Hirte seine Falle und verschwand im nahen Wadi. Aufmerksam suchte er den Sand nach Tierspuren ab. Nach einer Weile stieß er auf die Spur eines Dachses. Unweit davon fand er frischen Gazellenkot.

„Eine Gazelle, das wäre ein Festessen", freute er sich. Er legte die Falle aus, befestigte sie mit Pflöcken in der Erde und bedeckte sie mit trockenen Palmwedeln. Zufrieden legte er dann ein großes Stück Fladenbrot darauf.

Am nächsten Morgen suchte der Hirte voller Hoffnung das Wadi auf. Zu seinem Erstaunen war das Brot verschwunden, die Falle jedoch leer.

Als er die Umgebung ablief, stieß er auf die Spur eines Fuchses.

„Verdammter Wüstenfuchs!", murmelte Sallam. Er legte ein neues Stück Brot auf die Falle und kehrte unverrichteter Dinge zu den Zelten zurück.

Die Kinder bestürmten ihn: „Wo ist die Beute?"

„Ein Wüstenfuchs hat sich das Brot geschnappt."

Die Kinder lachten laut: „Der Fuchs ist eben schlauer als du!"

„Mal ist das Glück aufseiten des Jägers, mal aufseiten des Wildes", erwiderte der Hirte. „Ein Jäger muss Ausdauer und Geduld haben!"

Am dritten Tag war die Falle zugeschnappt. Als der Hirte einen Steinwurf von ihr entfernt war, sah er ein schwarzes Tier. Sallam tastete nach seinem Dolch. Vorsichtig pirschte er sich an die Falle heran. „Hoffentlich ist es keine Wildkatze", murmelte er.

Bei näherem Hinsehen erkannte er, dass es sich um ein Stachelschwein handelte. Reglos lag das Tier da. „Es wird doch nicht tot sein“, murmelte er bei sich. „Ein totes Tier können wir nicht essen.“

Er warf einen kleinen Stein in Richtung der Falle. In diesem Moment traf ihn ein Stachel am Arm, ein anderer schoss an seinem Kopf vorbei. Der Arm blutete heftig. Zumindest ist die Beute lebendig, tröstete er sich, während er den Stachel aus seinem Arm zog. Notdürftig verband er die Wunde mit seinem Kopftuch.

Sallam verbarg sich hinter einem Felsbrocken und warf von dort aus Steine auf das Tier und das Stachelschwein antwortete mit Stacheln. Als der Hirte sicher war, dass das Tier kaum mehr Stacheln haben konnte, näherte er sich mit gezücktem Dolch. Mit einem Stoß hatte er seine Beute erlegt. Dann ließ er das Stachelschwein ausbluten, schulterte seine Beute und machte sich mit stolzgeschwellter Brust auf den Rückweg.

„Bringt den Esel!“, rief er den Kindern von weitem zu. „Die Beute ist schwer!“

Als Sallam mit dem Stachelschwein eintraf, lobte der Karawanenführer den Jäger: „Ein Prachtexemplar!“ Beim Anblick der Beute begann ihm der Magen zu knurren. „So ein fettes Stachelschwein habe ich schon lange nicht mehr gesehen.“

Während der Karawanenführer sich unverzüglich daran machte, dem Tier die Haut abzuziehen, versorgte Amira die Wunde des Hirten.

Als das Wild zerlegt war, streute Hamid Salz auf die Fleischstücke und legte sie in die Glut. Es zischte. Die Kinder, die mit

Fladenbrot in der Hand warteten, ließen die Feuerstelle nicht mehr aus den Augen.

Hamid schichtete die gegrillten Fleischstücke auf eine Steinplatte. „Die erste Runde ist für die Kinder.“ Der Hirte lächelte, als er die Kinder mampfen sah. „Dieser Anblick lässt mich die Schmerzen vergessen.“

Als alle satt waren, überreichte der Karawanenführer das restliche Fleisch Nura. „Heute Abend kannst du davon eine leckere Suppe kochen.“

Die Frau streute eine Hand voll Salz auf das kostbare Fleisch und verstaute es in einem Gefäß. „Nun wird es bis zum Abend halten.“

So vergingen die Tage. Die Kamele labten sich an den Salzpflanzen, die beiden kranken Tiere wurden nach und nach gesund, und auch Saids Fuß war fast wieder geheilt.

Die Kinder badeten jeden Tag im Meer. Bald hörte man kein Husten mehr und die Hautausschläge der Kinder verschwanden.

Auch Sallam, der Fallensteller, hatte Glück. Zwei Tage nach seinem ersten Fang fand er ein Kaninchen in der Falle und eine Woche später sogar eine Gazelle. Die Kinder kletterten die Felsen hoch und machten Jagd auf Vögel und ihre Nester. So war der Speiseplan recht abwechslungsreich.

Die Zeit im Bauch der Erde verging wie im Flug.

Eines Abends betrachtete der Karawanenführer den Sternenhimmel. „In drei Tagen ist Vollmond“, gab er bekannt, „dann ist die Zeit zum Aufbruch gekommen. Wir sind seit einem Monat hier.“ Er nahm einen Schluck Wasser aus dem Wassersack und

fuhr fort: „Die Kinder sind gesund, den Kamelen geht es prächtig und ich habe Sehnsucht nach meiner Frau.“

„Hamid“, sagte Amira, „meine Großmutter bat mich ihr ein paar Salzbrocken mitzubringen.“

„Ich kenne eine gute Stelle, wo es viel Salz gibt“, verriet der Karawanenführer. „Wer seinen Beutel füllen möchte, kann dies tun.“

Nach zwei Tagen brach die Karawane auf, und nach einer dreitägigen Wanderschaft kam sie wohlbehalten im Zeltlager an. Noch bevor sie am Brunnen anlangten, kamen ihnen die ersten Kinder entgegen.

Ein kleiner Junge klemmte den Zipfel seines Gewandes zwischen die Zähne und rannte so schnell ihn seine Beine trugen zum Scheichzelt. „Die Karawane. Die Karawane!“

Die Männer erhoben sich, um die Reisenden zu empfangen.

Amira lenkte ihr Kamel vor das Zelt ihrer Großmutter.

„Sei willkommen“, begrüßte sie der Vater und griff nach dem Zügel des Kamels. Das Tier ließ sich nieder.

„Lass dich anschauen“, sagte der Vater. „Du siehst gut erholt aus.“

„Das kommt von der Luft am Toten Meer“, erwiderte Amira.

Omar reichte seiner Tochter die Hand und sie stieg ab. Er hob die schweren Satteltaschen vom Kamelrücken und legte den Reitsattel beiseite. Von allen Seiten musterte er das Kamel und griff ihm in die Flanken.

„Bist du zufrieden?“, wollte Amira wissen.

„Mehr als zufrieden! Die Schenkel sind kräftig, der Bauch ist prall und der Höcker ist aufgerichtet." Omar lachte: „Die Kur am Toten Meer hat gewirkt, das Kamel strotzt nur so vor Gesundheit."

Während der Karawanenführer und die Hirten im Scheichzelt empfangen wurden und stolz von der Reise berichteten, begutachtete die Hebamme die kleinen Ausflügler: „Salman, dein Hautausschlag ist verschwunden", freute sie sich, „und im Übrigen bist du kugelrund geworden."

„Zum ersten Mal in meinem Leben habe ich Stachelschwein gegessen", erzählte der Kleine stolz.

„Mein Husten ist auch weg", krähte der kleine Samir.

Nura, die Mutter der Zwillinge, überreichte der Hebamme einen Ziegenfellbalg: „Ich habe ihn mit Wasser vom Toten Meer gefüllt."

Die Alte bedankte sich: „Bestimmt werde ich deine Gabe brauchen können. Gestern erst bat mich eine Mutter um Hilfe. Ihr Kind leidet an Schuppenflechte."

Nachdem Nura der Hebamme ausführlich von der abenteuerlichen Reise berichtet hatte, erkundigte sie sich ihrerseits nach Neuigkeiten aus dem Zeltlager.

„Alles läuft seinen gewohnten Gang", berichtete die Hebamme, „nur Haschim und Wadha haben sich zerstritten. Sie beschimpfte ihn als Geizhals und er schalt sie hochmütig."

„Bei den beiden gab es schon immer Streit", kommentierte Nura.

„Dieses Mal ist es ernst. Letzten Freitag hat Haschim Wadha verstoßen. Nach der Scheidung lud Wadha ihre Mitgift auf den Esel und kehrte zu ihrer Sippe zurück."

„Wie gut, dass Allah den beiden keine Kinder geschenkt hat, so ist die Angelegenheit nur halb so schlimm“, meinte Nura.

Unterdessen hatte Omar seine Tochter in das Zelt geleitet. Er umarmte das Mädchen: „Ich freue mich über deine Rückkehr! Man macht sich Sorgen, solange ein Familienmitglied unterwegs ist.“

„Sorgen?“

„Wenn du einmal Mutter bist, wirst du die Sorgen der Eltern verstehen.“ Omar ließ sich auf dem Teppich nieder. „Einst wurde ein Mann, der ein Dutzend Söhne hatte, gefragt, welcher seiner Söhne ihm der liebste sei. Er antwortete: ‚Der Kranke, bis er geheilt ist, und der Wandernde, bis er zurückgekehrt ist.‘“

Er reichte seiner Tochter eine Tasse Tee. „Setz dich zu mir.“

„Wie gut der duftet“, bemerkte Amira. „Minze haben wir am Toten Meer vermisst.“

„Ich bin neugierig, was sich in deinen Satteltaschen verbirgt“, sagte der Vater. „Sie sind so schwer, als hättest du Steine gesammelt.“

„So etwas Ähnliches“, lachte Amira. „Es sind Salzbrocken. Die Großmutter hatte mich darum gebeten.“ Das Mädchen scheuchte ein Huhn beiseite, das laut gackernd über den Teppich trippelte. „Wo ist die Großmutter?“, erkundigte sie sich.

„Seit ein paar Tagen fühlt sich deine Großmutter nicht wohl. Sie hat den Derwisch aufgesucht.“

„Was fehlt ihr?“, wollte Amira wissen.

„Sie klagt über Bauch- und Gliederschmerzen.“

Der Vater nahm den letzten Schluck aus seinem Teeglas und

stellte es auf das Tablett zurück. Er spürte, wie beunruhigt das Mädchen war. „Das ist normal in ihrem Alter“, fügte er hinzu. „Doch nun erzähl mir von der Reise.“

Amira berichtete ausführlich von den Strapazen der Wanderschaft, vom Sturz des kleinen Said, vom Baden im Toten Meer und von dem saftigen Stachelschweinfleisch. Immer wieder stockte sie in ihrer Erzählung. Sie schien nicht ganz bei der Sache zu sein.

Als sie geendet hatte, deutete der Vater zum Zeltausgang. „Da kommt deine Großmutter!“

Gestützt auf ihren Stock und langsam wie eine Schildkröte bewegte sich die Alte auf das Zelt zu. Amira sprang auf und kam der Großmutter zu Hilfe.

Die Alte umarmte ihre Enkelin. „Ich habe dich vermisst, mein Kind!“ Sie schnappte nach Luft. Amira stützte sie und begleitete sie in das Zelt.

„Mach es dir auf der Matratze bequem“, sagte sie. „Hast du starke Schmerzen?“

„Gestern Nacht habe ich kein Auge zugetan“, berichtete die Großmutter. „Der ganze Körper tut mir weh.“

„Was sagt der Derwisch?“, erkundigte sich Omar.

„Er hat mich geschröpft und mir dann Heilkräuter verabreicht.“ Aus ihrer Brusttasche zog sie einen Gegenstand. „Dieses Amulett soll ich tragen.“

„Mit Allahs Hilfe wird es dich heilen“, wünschte Amira. Stolz griff sie in die Satteltaschen und förderte die Salzbrocken zutage.

„Du hast meinen Wunsch nicht vergessen“, lobte sie die Alte.

Sie nahm ein Stück in die Hand und leckte daran. „Salz und Brot“, murmelte sie leise vor sich hin. Sie streckte ihre Beine aus. „Wie war die Reise?“

Das Mädchen begann zu erzählen und die Großmutter hörte zu. Immer wieder schien sie abwesend zu sein. „Der Karawanenführer! Der Karawanenführer!“, wiederholte sie, als Amira ihr von dem Schlammbad der Kinder erzählte. „Ich bin viel älter als er.“

„Wie viel älter?“, wollte Amira wissen.

„Als er zur Welt kam, habe ich bereits die Ziegen zur Weide geführt.“

„Er hüpft wie ein junges Kamel“, bemerkte Amira.

„Er hat Ledersohlen an den Füßen“, lachte Omar. „Hamid hat unzählige Karawanen in seinem Leben angeführt. Das Laufen hält ihn munter.“

Die Alte wackelte mit dem Kopf. „Der Tod holt jeden ein.“

Amira zuckte zusammen: „Der Tod möge fern von dir bleiben, Großmutter!“

„Mutter!“, sagte Omar. „Jeder stirbt erst nach Vollendung seiner Tage. Solange das Blatt am Baum des Lebens hängt, droht keine Gefahr. Und wenn sich das Blatt zu lösen beginnt, kann der beste Derwisch der Welt nichts mehr ausrichten.“

Amira schloss die Augen. Vor sich sah sie den Mond mit dem Baum des Lebens. Doch nach dem Blatt der Großmutter hielt sie vergebens Ausschau, alles verschwamm ihr vor den Augen.

Der Vater erhob sich. „Ich will ein Huhn schlachten. Hühnerbrühe wird deine Lebenskräfte wieder wecken, Mutter. Doch jetzt solltest du ein wenig schlafen.“

Amira versuchte beim Kochen möglichst wenig Lärm zu machen. Immer wieder warf sie einen besorgten Blick auf die Kranke. Als die heiße, mit Safran gewürzte Suppe auf dem Feuer stand, weckte Omar seine Mutter.

Sie hatte Mühe, die Augen zu öffnen, die Augenlider hingen schwer herab. Während Omar sie stützte, gab Amira ihr einen Löffel. „Iss, Großmutter! Die Suppe macht dich wieder gesund!“

Nach einigen Löffeln winkte die Großmutter ab, streckte sich auf der Matratze aus und schloss die Augen.

„Der Schlaf heilt“, bemerkte Omar und legte eine Decke über die Alte.

Amira schlug ihr Schlaflager neben dem der Großmutter auf. Lange konnte sie keinen Schlaf finden. Gedanken kreisten in ihrem Kopf. Als sie merkte, dass ihr Vater auch nicht einschlafen konnte, flüsterte sie: „Vater, wäre ich doch nicht auf die Reise gegangen!“

Omar beruhigte seine Tochter: „Amira, mein Augapfel, mach dir keine Vorwürfe. Hier oder dort, Krankheit fern zu halten liegt nicht in unserer Hand. Gegen das Alter ist kein Kraut gewachsen.“

Das Mädchen schluchzte.

„Was können wir gegen das Schicksal ausrichten?“, fuhr der Vater fort. „Auch die Großmutter war machtlos, als die Wasserfluten deine Mutter fortrissen.“ Der Vater griff nach Amiras Hand. „Du solltest jetzt ein wenig schlafen. Nütze die Gelegenheit, solange die Großmutter schläft. Gute Nacht, meine Tochter.“

Erst spät in der Nacht fiel Amira in einen unruhigen Schlaf. Im Traum erschien ihr ein Rabe, der auf den Baum des Lebens zuflog. Er umkreiste den Baum dreimal, dann riss er ein welkes Blatt ab und flog davon.

„Gib mir das Blatt! Gib mir das Blatt!“, schrie das Mädchen verzweifelt.

Als der Mond über dem Rücken des Zeltes stand, riss Amira ein lautes Stöhnen aus dem Traum. Schweißgebadet schreckte sie hoch.

„Amira, bring mir Wasser und ein Tuch“, hörte sie den Vater sagen.

„Was ist passiert?“

„Die Großmutter hat erbrochen.“ Amira und Omar machten die Kranke sauber, zogen ihr ein frisches Kleid an und legten sie auf eine neue Matratze. Die Großmutter atmete schwer.

„Sie hat die ganze Suppe von sich gegeben. Amira, koche einen Kräutertee.“

Das Mädchen fachte die Glut an, streute Salbeiblätter in die Teekanne und setzte sie auf das Feuer. „Salbei reinigt den Magen“, bemerkte der Vater. Nachdem sie ihr ein Glas Salbeitee eingeflößt hatten, schlief die Großmutter den Rest der Nacht ruhig.

Am nächsten Morgen ließ Omar den Derwisch kommen. Nachdem der Medizinmann die Kranke untersucht hatte, winkte er Omar vor das Zelt.

Der Derwisch fasste Omar um die Schulter. „Ich habe mein Bestes getan“, sagte er, „der Rest liegt in Allahs Hand.“

Im Laufe des Vormittags traf die Hebamme ein.

„Wie geht es dir, Mutter von Omar?“, erkundigte sich die Be-

sucherin. Die Kranke stöhnte. „Ich habe dir Weihrauch mitgebracht. Weihrauchduft hat heilende Kräfte."
Amira schob mit der Feuerzange die Glut zu einem Häufchen und legte das Weihrauchstück darauf. Wenig später stiegen die ersten Rauchsäulen zum Zeltdach.
Nach und nach trafen Frauen im Zelt ein und umringten das Krankenlager. Es mangelte nicht an guten Ratschlägen. Die eine riet zu kalten Waschungen mit Salzwasser, die andere brachte ihren selbst gemischten Kräuterbalsam mit, und die dritte schlug vor, die Kranke mit den glühenden Feuerhaken zu behandeln.
Die Hebamme fasste die Großmutter an der Hand: „Sie braucht Ruhe", beschied sie und bat die Besucherinnen, ein andermal wiederzukommen.
Am dritten Tag nach dem Morgengebet schied die Großmutter aus dem Leben. Amira saß laut schluchzend neben dem leblosen Körper. Aus allen Zelten eilten die Frauen herbei.
Eine alte Frau legte ihren Arm um Amira: „Deine Großmutter hat ein langes und reiches Leben hinter sich. Sterben muss jeder, sogar Propheten."
Aziza fasste Amiras Hand. „Sei dankbar, dass wir rechtzeitig zurückgekehrt sind. So hast du deine Großmutter vor ihrem Abschied noch einmal gesehen."
„Du bist nicht allein", schaltete sich eine Tante ein, „du hast viele Verwandte. Am Tage der Gerechtigkeit wirst du deiner Großmutter wieder begegnen."
Die alten Frauen machten sich geschäftig daran, den Leichnam zu waschen und in ein weißes Tuch zu wickeln. Währenddessen

hoben Omar und seine Verwandten auf der Grabstätte eine Grube aus, in die der Leichnam versenkt werden sollte.
Dann ließ Omar sein Kamel vor dem Zelt der Großmutter niederknien. Die Männer hievten den Leichnam auf den Kamelrücken, und noch bevor die Sonne ihren höchsten Punkt erreicht hatte, war die Großmutter beerdigt. Der Derwisch sprach ein Totengebet. Omar schlachtete zu Ehren der Verstorbenen ein Schaf und lud die Trauernden zum Totenmahl ein.
Die vierzigtägige Trauerzeit brach an. Immer wieder erinnerte man sich an die Großmutter, die ein großes Herz für Kinder gehabt hatte. Alte Geschichten wurden aufgefrischt. Omar und Amira rückten enger zusammen.

Als die Trauerzeit zu Ende ging, zog Amira ihr Trauerkleid aus und legte wieder eines ihrer rot bestickten Kleider an. Omar, der sich in dieser Zeit einen Bart hatte wachsen lassen, rasierte sich und legte ein frisches Gewand an.
„Jetzt bist du die Herrin des Zeltes“, sagte er zu seiner Tochter.
Das Mädchen schwieg.
„Bevor wir den Zeltplatz wechseln, sollten wir den Nachlass regeln“, schlug der Vater vor. Aufmerksam suchte er den Boden des Zeltes ab. „Hier muss es versteckt sein.“
Neben dem Teppich grub er mit einer Hacke ein Loch und stieß auf einen Beutel aus Kamelleder. Omar setzte sich neben seine Tochter an die Feuerstelle. „Der Beutel ist schwer“, stellte er fest.
Neugierig leerte er den Inhalt auf den Teppich. Die Münzen und Perlen klimperten.

„Deine Großmutter war sparsam. Sie dachte an die Zukunft“, bemerkte Omar, als er die Schätze zu sortieren begann. Auf der rechten Seite häufte er die Goldmünzen auf, auf der linken Seite die Silbermünzen und in der Mitte die Perlen.
Drei Perlen waren auf einen Faden aufgefädelt, die übrigen waren lose.
Omar hielt den Faden hoch: „Was für eine merkwürdige Kette. Sie hat nur drei Perlen!“
Das Mädchen war verlegen.
„Nimm dir deinen Teil des Erbes“, forderte der Vater seine Tochter auf.
Amira griff nach der Kette mit den drei Perlen und schlang sie um ihren Hals. „Das ist mein Anteil!“
Der Vater war verblüfft: „Nimm wenigstens den Rest der Perlen und fädle sie auf. Die Frauen und die Mädchen werden dich sonst auslachen.“
„Nicht nötig“, erwiderte Amira. „Die losen Perlen sind bereits aussortiert.“
Der Vater schaute seine Tochter mit großen Augen an: „Du sprichst in Rätseln. Was soll das bedeuten?“
Ein Lächeln huschte über Amiras Gesicht. „Hat meine Großmutter dir nichts erzählt?“
Omar schüttelte den Kopf.
Das Mädchen ließ die Kette gedankenverloren durch seine Hand gleiten und erzählte dem Vater, was es mit den Perlen auf sich hatte.
Der Vater fasste Amira an der Hand: „Ich weiß, dass du ein begehrtes Mädchen bist, aber mit solch einer Karawane von

Heiratsbewerbern habe ich nicht gerechnet. Wie gut, dass dir die Großmutter bei der Wahl noch beistehen konnte."
Das Mädchen nickte zustimmend.
„Die Hälfte der Goldmünzen soll deine Mitgift sein", beschied der Vater. „In Zeiten der Not braucht man etwas, auf das man zurückgreifen kann. Gold verliert nie seinen Wert."
Omar überreichte seiner Tochter ihren Anteil an Münzen, dann griff er nach den restlichen Perlen und steckte sie in seine Gewandtasche. „Die ausgeschiedenen Heiratsbewerber gehören mir", scherzte er. „Die Händler auf dem Basar werden sich darum reißen."
Amira versteckte die Kette im Ausschnitt ihres Kleides. So sind die Perlen sicher, und ich erspare mir dumme Fragen, dachte sie bei sich.
„Jetzt, wo der Nachlass geregelt ist, wollen wir uns einen neuen Platz für das Zelt suchen", schlug der Vater vor. „Lassen wir die Vergangenheit ruhen. Die Großmutter ist vereint mit den Vorfahren, unser Leben geht jedoch weiter."
Einen Steinwurf vom Scheichzelt entfernt fanden sie einen geeigneten Platz für ihr Zelt.
Amira war tapfer. Sie suchte mit aller Kraft die Trauer zu überwinden und bemühte sich, auf eigenen Beinen zu stehen.

Eines Morgens saß Amira vor dem Zelt und stickte an einem neuen Kleid. Doch so ganz war sie nicht bei der Sache. Immer wieder kamen ihr Khalil, Talal und Nabil in den Sinn. Amira war neugierig, ob die drei ihre Geschichten bereits erfunden hatten. Was sollte sie tun, wenn alle drei Geschichten schlecht wären? Wie sollte sie entscheiden, wenn ihr alle drei Geschichten gleich gut gefielen?

Während die Gedanken in ihrem Kopf kreisten, ließ sie ein ums andere Mal ihr Stickzeug fallen, bis sie schließlich die Lust am Sticken verlor. Amira legte den Stoff und die Fäden beiseite, schloss die Augen und döste vor sich hin, bis das Bellen des Hundes sie aufschreckte.

Aziza kam auf sie zu. „Ich habe meiner Mutter bei der Zeltarbeit geholfen. Und nun habe ich ein bisschen Zeit zum Plaudern."

„Ich freue mich über deinen Besuch", erwiderte Amira.

„Dein Zelt ist immer aufgeräumt", lobte Aziza ihre Freundin.

„Wir sind auch nur zu zweit", gab Amira verlegen zur Antwort.

Aziza setzte sich zu Amira. Sie schien ein Geheimnis mit sich zu tragen. Unruhig drehte sie ihren Kopf hin und her. Das Teeglas in ihrer Hand zitterte.

„Was ist mit dir?", erkundigte sich Amira.

„Amira", sagte Aziza mit gedämpfter Stimme. „Kannst du ein Geheimnis für dich behalten?"

Amira nickte.

„Ich möchte dir etwas erzählen", fuhr Aziza fort. „Doch du musst mir fest versprechen, dass die Sache unter vier Augen bleibt."

„Bei der Seele meiner Großmutter", schwor Amira. „Doch jetzt platze ich vor Neugier, ich bin ganz Ohr."

Aziza begann ihr Geheimnis zu lüften: „Gestern Abend habe ich Razik am Rande des Zeltlagers getroffen."

„Und weiter!", hakte Amira nach.

„Er schenkte mir diesen Armreif." Aus ihrer Brusttasche zog Aziza einen silbernen Armreif hervor.
Amira betrachtete das Schmuckstück voller Bewunderung. „Ein wahrhaft schönes Geschenk!"
„Razik wird bald um meine Hand anhalten", verriet Aziza. Sie blickte ihre Freundin mit erwartungsvollen Augen an.
„Ich freue mich für dich", hörte sie Amira sagen. „Bist du aufgeregt?"
„Ich konnte kein Auge zutun", berichtete Aziza.
Amira bot ihrer Freundin eine Schale Buttermilch an, die diese in einem Zug austrank.
Aziza erblickte Amiras Stickzeug und hob es hoch. „Das Muster gefällt mir", meinte sie, „es würde sich für ein Hochzeitskleid eignen."
Amira blickte verlegen zu Boden.
„Wir sind Freundinnen", fuhr Aziza fort. „Ich habe dir mein Herz geöffnet." Sie blickte Amira in die Augen. „Wie steht es mit deinem Geheimnis?"
Amira lächelte. „Es liegt noch in weiter Ferne", antwortete sie. „Erst wenn der Sohn geboren ist, bekommt er einen Namen. Erst einmal bist du an der Reihe. Ich freue mich schon darauf, dich zum Brautkamel zu geleiten."
Die zwei Freundinnen plauderten noch eine Weile über dies und das. Dann verabschiedete sich Aziza. „Ich habe meiner Mutter versprochen, Wasser am Brunnen zu holen. Du weißt, wie zeitraubend das ist." Sie lächelte: „Du kennst unseren Esel, er ist alt und bockig."
Amira schaute Aziza versonnen nach. Du hast es einfach, dachte

sie bei sich. Razik ist dein einziger Bewerber. Mir jedoch steht noch die Qual der Wahl bevor.
Amira fasste sich in den Ausschnitt und befühlte die drei Perlen. Mit einem Seufzer verschwand sie in ihrem Zelt.

Khalil –
Freund der Brüste

Khalil, der Amira eine Geschichte über das glückliche Arabien erzählt hatte, entstammte einer Sippe, die groß und mächtig war und einen guten Ruf genoss.
Khalils Eltern mussten sieben Jahre warten, bis ihr Wunschkind endlich zur Welt kam. In dieser Zeit suchten sie berühmte Derwische und weise Frauen auf, die Huda zu einer Schwangerschaft verhelfen sollten.
Die Freude war überschwänglich, als Hudas Bauch sich endlich zu wölben begann. Murad legte oft ein Ohr an den Bauchnabel seiner Frau und horchte.
„Wir freuen uns auf dein Kommen", hörte Huda ihren Mann sagen.
Als die Stunde der Niederkunft nahte, konnte sich der Mann vor Aufregung kaum beherrschen. Nur mit Mühe ließ er sich

im Männerzelt halten. Immer wieder rief er der Hebamme zu: „Wo bleibt der Gast?"

Er ließ sich auch nicht durch die Bemerkungen der Männer beirren. „Meinst du, du bist der Erste, der Vater wird?", kommentierte der eine, und ein anderer fügte hinzu: „Wenn erst das halbe Dutzend voll ist, legt sich die Aufregung."

Murads Freude kannte keine Grenzen, als ihm die Hebamme verkündete: „Allah hat euch einen Sohn geschenkt."

„Deine Hände mögen gesund bleiben", erwiderte der stolze Vater. „Wenn ich zum Markt reite, werde ich dir Stoff für ein Kleid mitbringen."

Während Murad im Scheichzelt Datteln verteilte und die Glückwünsche der Männer entgegennahm, kümmerte sich die Hebamme um die Wöchnerin. Eine alte Frau wusch das Neugeborene, wickelte es in ein Stück Stoff und schnürte es zu einem Bündel.

„Ein hübscher Junge", sagte die Alte. „Er hat dichte Haare und ist kräftig."

„Seine Augen zeugen von Klugheit", setzte die Hebamme hinzu und überreichte das Neugeborene der Mutter. „Das Warten hat sich gelohnt. Du kannst stolz sein auf deinen Sohn."

Frauen aus den umliegenden Zelten besuchten Huda und brachten ihr Geschenke mit. Die eine Nachbarin hatte Hühnersuppe gekocht. „Die Suppe wird dir Kraft geben", meinte sie.

Eine andere hatte einen Topf Honig dabei. „Honig war eine der Lieblingsspeisen des Propheten", bemerkte sie und legte den Topf neben Hudas Kopfkissen. Sie warf einen Blick auf das Neugeborene. „Möge sein Leben so süß sein wie dieser Honig."

Die Wöchnerin bedankte sich für die reichen Gaben. Als sie sich gestärkt hatte, legte sie den Kleinen an die Brust. Die Hebamme, die sich nach all den Anstrengungen eine Tasse Tee gönnte, blickte wohlwollend auf Huda. „Dein Sohn klebt an der Brust und lässt nicht mehr los. Ein Freund der Brüste …“ Sie lächelte. Unterdessen saß der stolze Vater in der Männerrunde und trank ein Schälchen Kaffee nach dem anderen.

„Wie werden wir dich künftig anreden?“, wandte sich der Stammesälteste an Murad.

„Vater von Khalil“, antwortete dieser.

„Khalil ist ein wirklich wohlklingender Name“, lobte der Scheich.

Die Hebamme schmunzelte, als sie den Namen des Neugeborenen erfuhr. „Khalil, der Freund der Brüste“, lachte sie, „das passt!“

Die Hebamme sollte Recht behalten. Khalil entwickelte sich zu einem Brustkind. Hatte er sich satt getrunken, so ließ er sich nicht einfach von der Brust nehmen, sondern schrie aus Leibeskräften, bis die Mutter nachgab und ihn wieder anlegte. Dann vernahm man ein zufriedenes Schmatzen.

Das Kind nuckelte so lange an der Brust, bis es eingeschlafen war. In manchen Nächten ließ Khalil die Eltern kein Auge zutun. „Der Kleine ist verwöhnt“, hörte die Mutter den Vater schimpfen. „Du bist nur noch für ihn da!“

„Du hast gut reden“, gab die Frau zurück, „die Hauptlast trage doch ich. Meine Brustwarzen sind schon ganz wund.“

„Dann sieh zu, dass du den Kleinen entwöhnst. Er ist kräftig wie ein junger Ziegenbock.“

„Er ist noch klein“, wehrte die Mutter ab.
So sehr sich die Eltern ein Kind gewünscht hatten, so kam es doch immer wieder zu Streitigkeiten über den Kleinen. Die Beziehung der Eltern zueinander kühlte merklich ab.

Als Khalil ein Jahr alt war, versuchte die Mutter ihren Sohn zu entwöhnen. Doch vergeblich. Der Freund der Brüste wollte keine Ziegenmilch trinken.
Auch im zweiten Jahr war ihr kein Erfolg beschieden.
„Ich kann nicht mehr“, jammerte Huda, „dieses Kind saugt mich aus.“
Eines Tages bekam Hudas Nachbarin Besuch von ihrer Tante, die in einem weit entfernten Stammeslager wohnte.
Huda suchte Rat bei der Besucherin.
Diese ließ sich den Jungen vorführen. „Du bist doch ein großer Junge“, wandte sie sich an Khalil, „es gibt viele leckere Sachen zu essen.“
Khalil kicherte und ließ eine Reihe blitzender Zähne sehen.
„Mit diesen Zähnen kannst du ein Hühnerbein zerlegen“, bemerkte die Besucherin.
„Da hilft nur ein Mittel“, wandte sie sich an Khalils Mutter, „ich brauche einen Skorpion!“
Huda zuckte zusammen.
Die Besucherin schmunzelte: „Er muss nicht groß sein. Am späten Nachmittag, wenn es abkühlt, finden wir ein Tierchen.“
Und so war es. Unter einem Steinbrocken im Wadi entdeckte Hudas Nachbarin einen Skorpion. Mit der Feuerzange packte sie ihre Beute und trug sie ins Zelt. Dort röstete sie den Skor-

pion über der Glut und zermahlte ihn im Gewürzmörser zu Pulver.
Die Besucherin war zufrieden. „Öffne deinen Kleidausschnitt", forderte sie Huda auf. Dann streute sie das Pulver auf Hudas Brustwarzen. „Dieses Mittel hilft garantiert", kommentierte sie. „Leg den Kleinen an!"
Khalil, der die Prozedur misstrauisch beäugt hatte, leckte halbherzig an der Brustwarze. Dann verzog er sein Gesicht und spuckte aus.
„Trink!", forderte die Besucherin ihn auf.
Khalil versuchte noch einmal zu saugen, doch es schmeckte ihm nicht. Lauthals begann er zu weinen.
Die Mutter drückte ihren Sohn an die Brust. „Du bekommst ein Hühnerei von mir", versprach sie ihm, „und leckere Ziegenmilch."
Seit diesem Tag nahm Khalil wohl oder übel mit Ziegenmilch vorlieb.

Khalils Entwöhnung gelang, doch das Verhältnis der Eltern zueinander war zerrüttet. Die Streitigkeiten häuften sich. Freunde und Verwandte versuchten zwischen den Streithähnen zu vermitteln, aber ihre Bemühungen blieben erfolglos. Die beiden fanden nicht wieder zueinander.
Ein Jahr nach der Entwöhnung entschlossen sich Murad und Huda zur Scheidung.
Im Scheichzelt sprach Murad unter Zeugen die Scheidungsformel aus, und die beiden Parteien einigten sich darauf, dass das Kind bis zum Alter von vierzehn Jahren bei der Mutter bleiben

sollte. Danach würde der Junge allein entscheiden, bei welcher Sippe er leben wollte.

Huda lud ihr Hab und Gut auf ihren Esel und kehrte mit ihrem Sohn zu ihrer Sippe zurück. Ihre Familie half ihr, ein neues Zelt aufzubauen.

So wuchs Khalil bei seiner Mutter auf. Er war ihr Ein und Alles. Es gab eine Reihe von Männern, die sich für die Geschiedene interessierten, doch Huda wies alle Heiratsanträge zurück.

Khalil mangelte es an nichts. Er war ein kluger und aufgeweckter Junge. Schon im Alter von zehn Jahren führte er die Ziegenherde seines Onkels zur Weide. Als Lohn für seine Tätigkeit bekam er ein Viertel der neugeborenen Zicklein. Die männlichen Zicklein verkaufte Huda auf dem Markt. Mit dem Erlös besorgte sie alles Notwendige für das Zelt. Die weiblichen Zicklein verblieben bei der Herde.

Als sechs Frühlinge ins Land gezogen waren, war Khalil stolzer Besitzer einer eigenen Herde. Von nun an hütete er nur noch seine Ziegen.

Die Mutter war mächtig stolz auf ihren Sohn. „Du bist ein tüchtiger Hirte“, lobte sie ihn. Nur wenn sie Ärger mit ihm hatte, neckte sie ihn mit seinem Spitznamen, „Freund der Brüste“.

Khalil war ein musisch begabter Junge. Ein alter Hirte hatte ihm eine Flöte geschenkt und ihm das Spielen beigebracht. Während der langen Tage auf der Weide hatte Khalil das Flötenspiel geübt und mit der Zeit brachte er es zu wahrer Meisterschaft.

Die Ziegen gewöhnten sich an sein Spiel. Wenn der Hirte in der Abenddämmerung seine Flöte zur Hand nahm, scharten sie sich um ihn, denn sie wussten, dass die Zeit des Aufbruchs gekom-

men war. Der junge Hirte schritt voran, der Ziegenbock trottete ihm nach und die Ziegen folgten dem Bock.

Eines Tages, als Khalil wie üblich mit seinen Tieren auf der Weide war, setzte er sich inmitten der Blumenwiese auf einen Steinbrocken und nahm seine Flöte zur Hand. Er spielte bekannte Weisen, die die Hirten seit altersher gespielt hatten.

Als er seine Flöte zur Seite legte, bemerkte er einen Wanderer, der einen Steinwurf entfernt von ihm saß. Khalil war so in sein Flötenspiel vertieft gewesen, dass er den Fremden nicht hatte kommen hören.

Der Mann kam auf ihn zu. „Die Töne deiner Flöte führten mich zu dir“, sagte er.

„Wer bist du?“, fragte Khalil.

„Ein Wanderer“, erwiderte der Mann. Er griff in seinen Wandersack und zog einen Granatapfel heraus. „Für den Musiker“, sagte er und überreichte Khalil die Frucht. „Ab und zu führt mich mein Weg durch diese Gegend“, fuhr der Fremde fort. „Wenn du für mich spielst, so will ich dich mit einem Geschenk belohnen.“

Khalil war neugierig und suchte im Gespräch zu erfahren, woher der Fremde käme, doch dieser ließ sich sein Geheimnis nicht entlocken.

Nachdenklich machte sich Khalil an diesem Abend auf den Heimweg.

Zwei Vollmonde nach dieser seltsamen Begegnung erreichte Khalil die Botschaft Amiras, er solle noch eine zweite Geschichte erfinden. Der junge Mann war missmutig. Er verbrachte eine unruhige Nacht, bevor er am nächsten Morgen mit seiner Herde das Zeltlager verließ.

Während seine Ziegen auf der Weide genüsslich Kräuter fraßen und an Grashalmen zupften, dachte Khalil nach. Er hatte gehofft, Amira würde sich für ihn entscheiden, und nun begann erneut eine Zeit des Wartens. Er nahm seine Flöte zur Hand und begann zu spielen.

In diesem Moment tauchte der Fremde auf. Dieses Mal zog er einen Maulesel hinter sich her. „Der Musiker sei gegrüßt", hörte Khalil seine Stimme schon von weitem.

Der Fremde kam näher und setzte sich zu dem jungen Hirten.

Nachdem er eine Weile dem Flötenspiel gelauscht hatte, zog er aus den Satteltaschen seines Maulesels ein Gewand.

Khalils Augen strahlten, als er mit seinen Händen über den glänzenden Stoff fuhr. „Ein fürstliches Gewand", bedankte sich der Hirte. Er zog das Gewand über und schaute an sich herab.

„Du siehst aus wie ein Märchenprinz", bewunderte ihn der Mann. „Die Mädchen werden sich um dich reißen!"

„Ach!", stöhnte der Hirte.

„Kommst du mit den Mädchen nicht zurecht?"

Khalil war verlegen.

„Spiel noch einmal ein Lied für mich."

Der Hirte nickte und nahm seine Flöte zur Hand.

„Deine Flöte klingt heute anders", bemerkte der Fremde. „Bist du traurig?"

„Ich bin heute nicht ganz bei der Sache", gab der Flötenspieler zur Antwort.

„Erzähle mir, was dich bedrückt", bat der Mann.

Doch Khalil schüttelte den Kopf. Amiras Gestalt erschien vor seinen Augen.
Der Fremde griff in seine Gewandtasche und zog eine seltsame Frucht hervor. „Diese Frucht vertreibt die Traurigkeit“, ermunterte er den jungen Hirten. „Wenn du davon isst, wirst du deine gute Laune wieder finden.“
Khalil hielt die Frucht in seiner Hand. Als er drei Bissen gegessen hatte, überfiel ihn eine bleierne Müdigkeit. Die Flöte fiel zu Boden, und der Hirte versank in einen tiefen Schlaf.
Der Fremde lud den Schlafenden samt der Flöte auf seinen Maulesel und ritt mit ihm davon.

An diesem Abend wartete Huda vergeblich auf ihren Sohn. Erst dachte sie, Khalil hätte einen weit entfernten Weideplatz aufgesucht. Doch als alle Herden im Zeltlager eingetroffen waren, begann die Frau sich Sorgen zu machen.
„Hast du meinen Sohn gesehen?“, fragte Huda eine Hirtin, die ihre Ziegen zum elterlichen Zelt trieb.
„Heute Morgen auf dem Hinweg habe ich ihn getroffen, doch am Brunnen trennten sich unsere Wege.“
Die Mutter suchte das Scheichzelt auf und trug ihre Sorge vor. Drei Männer erklärten sich bereit, die Suche aufzunehmen. Sie sattelten ihre Rennkamele und machten sich auf den Weg zu den bekannten Weideplätzen.
Die Männer durchritten den Wadi, erklommen Hügel und ritten die Ebene ab. Doch weit und breit war keine Spur von Khalil und seiner Herde zu sehen.
„Wie vom Erdboden verschluckt“, bemerkte einer der Reiter.

Es war still, nur in der Ferne war das Heulen der Wölfe zu hören. „Lasst uns umkehren“, schlug der älteste der Reiter vor. „Der Tag hat Augen. In der Nacht können wir nichts ausrichten.“

Bedrückt schlugen die drei Männer den Heimweg ein. Auf halbem Wege stießen sie auf eine große Ziegenherde, die ziellos umherzuirren schien.

Einer der Reiter stieg von seinem Kamel und suchte im Mondlicht das Brandzeichen der Tiere zu erkennen. „Ja, es ist Khalils Herde!“, rief er. „Aber wo ist der Hirte?“

Der jüngste Reiter stellte sich auf den Rücken seines Kamels und rief mit lauter Stimme: „Khalil! Khalil!“ Doch nur das Echo seiner Stimme war zu hören.

Die Männer trieben die Herde vor sich her und kehrten in das Zeltlager zurück.

Huda erwartete die Reiter voller Ungeduld. „Wo ist mein Sohn?“

„Khalil ist ein tapferer Junge“, machte ihr der älteste der Reiter Mut. „Die Herde haben wir gefunden. Nach Anbruch der Dämmerung werden wir die Suche nach deinem Sohn wieder aufnehmen.“

„Was ist ihm nur zugestoßen?“, klagte die Mutter. „Vielleicht hat ihn eine Räuberbande überfallen?“

„Räuber hätten die Herde mitgenommen“, beruhigte sie der Scheich.

Am nächsten Tag, kurz nach der Morgendämmerung, machte sich eine Reiterschar auf die Spurensuche. Im Morgenlicht durchstreiften sie das Weideland. Am Fuße eines Hügels

zügelte der älteste der Spurensucher sein Kamel. „Hier sind Fußabdrücke“, stellte er fest. „Es könnten Khalils Sandalen sein.“

„Und hier sind frische Ziegenperlen“, setzte ein anderer hinzu. Die Männer suchten die Umgebung ab und stießen auf die Spur eines Maulesels.

„Der Hirte hatte keinen Maulesel“, gab einer der Männer zu bedenken.

Ein dritter rief die anderen zu sich: „Hier sind die Schalen einer seltsamen Frucht.“

Der alte Spurensucher roch daran, dann rümpfte er die Nase. „Sie riecht eigentümlich. Ich weiß nicht, was ich davon halten soll.“

Da die Fußspuren endeten, beschlossen die Männer, der Spur des Maulesels zu folgen. Doch gegen Mittag verlor sich die Spur auf einem steinigen Abhang. Unverrichteter Dinge kehrten die Männer in das Zeltlager zurück.

Huda brach in lautes Weinen aus: „Mein Sohn! Mein Sohn! Er ist mein einziges Kind!“

Ihr Bruder suchte sie zu trösten: „Noch sind keine drei Tage verstrichen, es gibt Hoffnung, dass Khalil wiederkommt. Vielleicht hat er sich vor den Wölfen in eine Höhle in Sicherheit gebracht. Er ist ein erfahrener Hirte.“

Doch die Mutter ließ sich nicht beruhigen. In ihrer Not sattelte sie ihren Esel und ritt zu der Wahrsagerin im benachbarten Stammeslager. „Seit gestern ist mein Sohn verschwunden. Er ist von der Weide nicht zurückgekehrt“, berichtete sie. „Ich finde keine Ruhe mehr!“

„Gib mir deinen Armreif", forderte die Wahrsagerin sie auf, „und fasse dich in Geduld."

Die Wahrsagerin nahm den Armreif in Empfang und zog sich in einen Zeltwinkel zurück. Mit beiden Händen umklammerte sie den Silberreif, schloss die Augen und begann nach kurzer Zeit zu murmeln.

Unruhig rutschte Huda auf dem Teppich hin und her. Ihr Herz wollte fast zerspringen. Die Zeit schien stillzustehen.

Endlich erhob sich die Wahrsagerin. Sie war schweißgebadet und hatte einen roten Kopf. „Mutter von Khalil", wandte sie sich an die Besucherin, „dein Sohn ist am Leben. Er schwebt in Gefahr, doch er hat ein tapferes Herz. Eines Tages wird er wiederkommen."

Die Wahrsagerin reichte Huda den Silberreif. „Behalte ihn", winkte Huda ab. „Möge Allah geben, dass du Recht behältst."

Während Huda im Zeltlager vom Besuch der Wahrsagerin berichtete, lag Khalil in einem tiefen Schlaf. Erst am dritten Tag erwachte er.

„Wo bin ich?", rief er, als er die Augen aufschlug.

„In meiner Höhle", hörte er eine leise Stimme. Es war dunkel, nur durch ein paar Ritzen drangen Lichtstrahlen.

Der Hirte erkannte die Gestalt des Fremden. „Wie bin ich hierher gekommen? Wo ist meine Herde?"

„Sie ist auf der Weide", lächelte der Fremde.

Der Hirte suchte verzweifelt nach dem Ausgang.

„Du brauchst dich nicht zu bemühen", hörte er den Fremden sagen. „Der Ausgang ist gut verschlossen."

Khalil rieb sich die Schweißperlen von der Stirn. „Wer bist du? Was hast du mit mir vor?“
Der Fremde lächelte.
„Was habe ich dir getan, dass du mich gefangen hältst?“, stotterte Khalil mit bebenden Lippen.
„Ich liebe deine Flötenmusik. Spiel für mich!“
Der Hirte schüttelte den Kopf.
Der Fremde erhob sich: „Sieh dich vor! Es steht in meiner Macht, dich in eine Schlange zu verwandeln. Doch ich will dir nichts Böses.“ Er reichte Khalil einen Wasserkrug. „Wenn du für mich spielst, so soll es dir an nichts fehlen.“
Der Hirte nahm sein Instrument zur Hand und spielte eine traurige Weise. Als er seine Flöte beiseite legte, war der Fremde verschwunden.
Khalil dachte an seine Mutter. Sie wird sich große Sorgen machen! Ihr Herz wird brechen! Er begann zu schluchzen: „Meine Herde! Jahrelang habe ich sie gehütet und nun wird sie zur Beute der Schakale. Ein Unglück kommt selten allein.“
Die Tage verrannen. Jeden Abend erschien der Fremde und lauschte dem Flötenspiel. Nur unwillig nahm der junge Hirte sein Instrument zur Hand, doch da sein Leben in der Hand des Fremden lag, blieb ihm keine andere Wahl.
Immer wieder dachte er an Amira und träumte davon, sie im Brautzelt aufzusuchen. Er erinnerte sich daran, dass er für Amira eine Geschichte erfinden sollte. Er legte seinen Kopf in die Hände. „Ich habe Zeit in Hülle und Fülle, doch in dieser verdammten Höhle kann ich keinen Gedanken fassen. Ich muss nach einem Ausweg suchen!“

Khalil beschloss, den seltsamen Fremden durch sein Flötenspiel zu gewinnen. Er spielte mit einer solchen Hingabe, dass dieser glauben musste, der Hirte habe sich mit seinem Schicksal abgefunden.

Eines Abends bemerkte Khalil, dass der Fremde den Höhleneingang, der mit einer Steinplatte verschlossen war, nur nachlässig versperrt hatte. Ein breiter Spalt ließ das Mondlicht eindringen. Der Musiker griff zu seiner Flöte und begann zu spielen.

„So schön hast du lange nicht gespielt", lobte ihn der Mann. Er streckte die Beine aus und stützte sich auf seinen Arm. Khalil spielte, als ginge es um sein Leben.

Nach dem zweiten Lied vernahm Khalil ein leises Schnarchen. Während er nur noch leise Töne spielte, wurde das Schnarchen lauter.

Khalil sah einen Hoffnungsschimmer. Auf leisen Sohlen schlich er zum Höhlenausgang. Mit aller Kraft zwängte er sich durch die Felsspalte ins Freie. Der Hirte holte tief Luft. So schnell ihn seine Beine trugen, rannte er davon.

Als er vom Rennen müde wurde, setzte der junge Hirte sich auf einen Felsvorsprung, um auszuschnaufen. Er ließ seine Blicke schweifen. „Welch gottverlassene Gegend", jammerte er. „Ich muss weiter, bevor der Fremde erwacht."

Khalil kletterte über Felsbrocken, durchquerte einen Wadi und erklomm den nächsten Hügel. Der Mond stand in seinem Rücken. Auf dem Gipfel des Hügels machte er erneut Halt. „Wenn ich nur wüsste, welche Richtung ich einschlagen muss!"

Als er um sich schaute, entdeckte er eine Ruine. Khalil beschloss, sich den Rest der Nacht dort zu verstecken. Seine Füße

schmerzten und seine Kehle war trocken. Außer Atem kletterte er über eine verfallene Mauer. Er lehnte seinen Rücken gegen die Steinwand und atmete tief durch. Als er sich ein wenig ausgeruht hatte, kamen ihm die Worte seiner Großmutter in den Sinn: „Ruinen sind Orte, die von Geistern und Dämonen bewohnt werden.“ Die Angst kroch in ihm hoch. Er beschloss, den Platz zu verlassen.

Da entdeckte er plötzlich am Ausgang der Ruine Kamelbällchen. Der Hirte nahm ein Bällchen in die Hand und prüfte es. Es war noch frisch. Khalil schöpfte Hoffnung. „Wo ein Bällchen ist, ist das Kamel nicht weit.“ Vielleicht war die Ruine eine verfallene Karawanserei? Im Mondlicht suchte er die Umgebung nach Spuren ab.

Wie glücklich war Khalil, als er die Hufabdrücke von Kamelen fand. Ohne Zeit zu vergeuden, folgte er der Spur der Karawane. Als der Mond im Herzen des Himmels stand, erblickte der junge Hirte in der Ferne ein Feuer. „Da rastet die Karawane!“

Der Weg war beschwerlich. Immer wieder stolperte Khalil über Steine und fiel zu Boden. Mit letzten Kräften schleppte er sich voran. Einen Steinwurf vom Feuer entfernt legte er sich flach auf den Boden und horchte. Er hörte das knirschende Geräusch der Kamelmäuler. Menschen konnte Khalil nicht entdecken.

Auf allen vieren kroch der Hirte auf den Feuerschein zu. Als er seinen Kopf reckte, packte ihn plötzlich eine Hand am Nacken. Khalil schnappte nach Luft.

„Wer bist du?“, hörte er eine Stimme. „Bist du ein Dieb?“

„Nein“, erwiderte Khalil kleinlaut. „Ich habe mich verirrt.“

„Komm mit!“, forderte ihn der Mann auf, ohne seinen Griff zu

lockern. Er schob den Hirten vor sich her zum Feuer. Mehrere Gestalten sprangen auf.
„Bringt mir ein Seil!", rief der Mann. „Ich habe einen Dieb geschnappt."
Die Männer fesselten den Jungen an Händen und Füßen. Der Karawanenführer legte Reisig auf das Feuer und betrachtete im Schein der Flammen die Gestalt des Hirten. „Bist du allein oder hast du Gefährten?"
„Ich bin allein", antwortete Khalil.
„Ein Dieb! Er kroch auf allen vieren", berichtete der Wächter.
Der Karawanenführer musterte das seidene Gewand des Jungen. „Wie ein Räuber sieht er nicht aus", bemerkte er, „eher wie ein Märchenprinz."
„Eine gute Tarnung", vermutete der Wächter.
„Ich bin halb verdurstet", jammerte Khalil.
Der Karawanenführer ließ ihn aus dem Wassersack trinken.
„Er ist der Spion einer Räuberbande", beharrte der Wächter.
„Nein! Nein!", verteidigte sich der junge Hirte.
„Woher hast du das Seidengewand?", wollte der Karawanenführer wissen.
„Das ist eine lange Geschichte", versetzte Khalil und berichtete, was ihm widerfahren war.
Der Wächter sah ihn mit großen Augen an. „Er fantasiert!"
„Kannst du uns die Höhle zeigen?", wollte der Karawanenführer wissen.

Khalil schüttelte den Kopf. „Ich bin fremd in dieser Gegend und habe bei meiner Flucht nicht auf den Weg geachtet."
Die Meinungen der Zuhörer waren geteilt. Die einen neigten

dazu, Khalil Glauben zu schenken, die anderen waren eher misstrauisch.
„Der Tag wird Klarheit bringen“, beschied der Karawanenführer. „Für den Rest der Nacht werde ich zwei Wachen einteilen.“
Und so geschah es.
Nachdem die zweite Hälfte der Nacht friedlich verlaufen war, ließ der Karawanenführer den jungen Hirten losbinden. „Du hast keine Gefährten“, stellte er fest. „Woher stammst du?“
„Vom Stamm der Tyaha“, erwiderte Khalil.
„Allein wirst du den Weg zu deinem Stammesgebiet nicht finden. Du hast nicht einmal ein Reittier“, fuhr der Karawanenführer fort. „Einstweilen kannst du unsere Karawane begleiten. Ich kann einen Jungen brauchen, der mir zur Hand geht.“
Khalil war erleichtert.
Nachdem die Kamele beladen waren, machte sich die Karawane auf den Weg. Der Hirte zählte vierzig Kamele. Er war neugierig: „Was habt ihr in den Säcken?“, wollte er wissen.
„Getreide“, erwiderte der Karawanenbegleiter.
„Und wie lange werden wir unterwegs sein?“
„Der Weg ist lang“, bekam Khalil zur Antwort.
Vor Anbruch der Mittagshitze pflegte die Karawane zu rasten, und wenn die große Hitze nachließ, zog sie weiter bis zur Abenddämmerung.
Khalil erwies sich als tüchtiger Junge, der bald das Vertrauen des Karawanenführers gewann. „Wenn ich alt bin, kannst du mein Nachfolger werden“, scherzte dieser.
„Nein, danke!“, erwiderte Khalil, „in deinem Beruf ist man dauernd unterwegs. Ich bleibe lieber Hirte.“

„Du hast Recht“, gab der Karawanenführer zu. „Meine Frau beschwert sich, weil ich so oft auf Reisen bin.“
Mit Wehmut dachte Khalil an Amira. „Die Zeit verrinnt, und ich habe noch immer keine Geschichte erfunden“, murmelte er bei sich.

An einem Abend schlug die Karawane ihr Lager in einem Wadi auf. Die Gegend, durch die sie gezogen waren, war karg. Die Kamele fanden nur ab und zu ein paar trockene Sträucher zum Fressen. Menschen und Tiere waren erschöpft von den Anstrengungen des Tages.
„In drei Tagen erreichen wir die nächste Oase“, munterte der Karawanenführer seine Begleiter auf.
Bei Anbruch der Morgendämmerung wollte der Karawanenführer sein Morgengebet verrichten. Er griff nach dem Ziegenbalg, doch dieser war leer. „So viel Wasser haben wir gestern doch nicht getrunken“, wunderte er sich.
Er nahm den anderen Ziegenbalg zur Hand. Auch dieser war leer.
Der Karawanenführer fuchtelte wild mit den Händen: „Wasser! Wasser! Wo ist das Wasser?“
Die Begleiter schreckten aus dem Schlaf. „Gestern waren die Schläuche noch voll“, sagte der Wächter. Misstrauisch beäugte er Khalil. „Hast du dir einen Scherz erlaubt?“
Khalil war empört: „Wasser ist Leben, damit scherzt man nicht!“
„Lass den Jungen in Ruhe“, schaltete sich der Karawanenführer ein. „Ich hafte für ihn!“ Er hob den leeren Ziegenbalg hoch.

„Der Hals ist verschlossen, das Wasser muss herausgesickert sein.“

„Wie kann das sein? Die Ziegenbälge sind neu!“, wunderte sich einer der Männer.

Beim genauen Betrachten der Schläuche entdeckte der Karawanenführer kleine Löcher. „Hast du geschlafen?“, fuhr er hoch und blickte den Wächter mit zorniger Miene an.

„Ich, geschlafen?“, verteidigte sich dieser. „Hast du vergessen, wie ich den Jungen geschnappt habe? Kein Mensch kann sich ungesehen unserem Lager nähern!“

Sorgfältig suchte der Karawanenführer die Umgebung ab.

„Hier haben wir den Missetäter!“, hörte man ihn schimpfen. Er deutete in den Sand. „Fuchsspuren! Die Abdrücke sind unverwechselbar.“ Er prüfte noch einmal die leeren Ziegenbälge. „Der Fuchs hat sich über unsere Wassersäcke hergemacht, hier sind Spuren von Zähnen zu erkennen.“

Der Karawanenführer schaute den Wächter vorwurfsvoll an. Dieser zuckte mit den Schultern: „Ich bin zuständig für Räuber und nicht für Füchse, die auf leisen Sohlen heranschleichen.“

„Füchse hin, Füchse her“, schimpfte ein Mann. „Das Wasser ist versickert.“

Der Karawanenführer mahnte zum Aufbruch: „Beladet die Kamele. Wir haben keine Zeit zu vergeuden!“

Die Stimmung war gedrückt, als sich die Karawane in Bewegung setzte. Ohne Unterbrechung setzten die Männer ihren Weg fort, bis die Sonne im Herzen des Himmels stand. Dann legte die Karawane Rast ein.

Die Stimmung wurde immer gereizter. „Drei Tage ohne Wasser

halten wir nicht durch", murrten die Männer. „Wir sind doch keine Kamele!"

Der Karawanenführer beschwichtigte seine Gefährten. „Heute Abend müssen wir wohl oder übel ein Kamel schlachten."

Und so geschah es.

Der Karawanenführer schlitzte dem geschächteten Kamel den Bauch auf und trank Wasser vom Magen des Tieres.

Khalil würgte ein Brechreiz, als er an der Reihe war. „Du hast keine andere Wahl", beschied der Karawanenführer. „Meinst du, mir schmeckt dieses Wasser?"

Der junge Hirte hielt sich die Nase zu. Angeekelt nahm er ein paar Schlucke. Khalil war der Appetit so gründlich vergangen, dass er das gegrillte Kamelfleisch nicht anrührte.

Am dritten Tag erreichte die Karawane eine Oase. Die Halbverdursteten stürzten auf die Quelle zu, die einem Fels entsprang. Noch nie in seinem Leben hatte Khalil Wasser so köstlich geschmeckt.

Der Karawanenführer reparierte die lecken Wasserbälge, indem er die schadhaften Stellen abband, und füllte sie mit frischem Quellwasser. „Dieser Vorrat wird uns bis Petra reichen."

Der Wächter versprach, in Zukunft neben den Wasserbälgen Wache zu halten.

Wenige Tage später tat sich am Horizont eine Felsenkette auf.

„Wir sind fast am Ziel. Hinter diesen Felsen liegt Petra", kündigte der Karawanenführer an.

Khalil war erleichtert, als die Karawane den Eingang zur Schlucht passierte, die in die Felsenstadt Petra führte. Vor dem

Schatzhaus des Pharaos, eines in die Felswand gehauenen Tempels, machte die Karawane Halt.
Auf diesem Platz herrschte ein geschäftiges Treiben. Fliegende Händler boten ihre Waren feil, Karawanenführer heuerten Kameltreiber an, andere suchten ihre Ladungen zu verkaufen.
Nach dem langen Weg durch die öde Wüste war Khalil überwältigt vom Anblick dieser prächtigen Stadt.
Am Abend wandte sich der Karawanenführer an Khalil: „Wir sind am Ende unserer Reise angelangt und müssen uns trennen. Ich habe mich auf dem Markt erkundigt. Morgen bricht eine Karawane nach Gaza auf. Dieser Karawane kannst du dich anschließen. Ich habe dem Karawanenführer erzählt, was für ein tüchtiger Junge du bist.“ Der Karawanenführer klopfte Khalil auf die Schulter: „Der Karawanenweg führt an deinem Stammesgebiet vorbei.“
Khalil bedankte sich überschwänglich für die Hilfe. Zum ersten Mal seit langem schlief der junge Hirte tief und fest.

Nach sieben Tagesmärschen mit der Karawane kam Khalil die Gegend bekannt vor. Obwohl ihn die Füße schmerzten, hüpfte er von einem Fuß auf den anderen.
Als er von Ferne das Weideland erblickte, nahm er Abschied von der Karawane. So schnell ihn seine Beine trugen, lief er zu seinem Zeltlager.
Am Brunnen wusch er sich den Staub der Reise ab. Auf halber Wegstrecke zum Zelt seiner Mutter erkannten ihn spielende Kinder.
„Khalil! Khalil!“, schallte es.

Huda, die am Teigkneten war, hörte die Rufe der Kinder. Sie ließ alles stehen und liegen und stürzte aus dem Zelt.
Khalil kam ihr mit offenen Armen entgegen.
„Khalil, mein Augapfel!", schluchzte die Mutter.
Aus allen Zelten stürmten die Bewohner herbei und begrüßten den Vermissten. Der Scheich drückte ihm die Hand: „Allah sei Dank, du bist wohlbehalten!"
„Mein Augenlicht, wo hast du die ganze Zeit gesteckt?", wollte die Mutter wissen.
„Auf Reisen", antwortete der junge Hirte.
Huda drückte ihren Sohn ein ums andere Mal. Und Khalil berichtete ausführlich, was ihm zugestoßen war. Gebannt lauschten die Zuhörer.
Der Stammesälteste schüttelte ungläubig den Kopf: „Mein Junge, du hast sieben Seelen!"
„Der Stammesahn stand dir bei", fügte der Scheich hinzu.
Zu Ehren von Khalil wurde ein großes Festessen veranstaltet. Die Besucher strömten herbei und bei jedem Neuankömmling musste Khalil seine Geschichte zum Besten geben.
Nachdem sich die erste Aufregung gelegt hatte, erkundigte sich der junge Hirte nach seiner Herde.
„Die Spurensucher haben deine Ziegen gefunden", berichtete die Mutter."Nun weiden sie mit der Herde des Onkels."
„Ab morgen werde ich sie wieder zur Weide führen", sagte Khalil stolz. „Ich suche einen neuen Weideplatz. Auf den alten setze ich keinen Fuß mehr!"
Der Hirte war überglücklich, wieder zu Hause zu sein.

Nach und nach verblasste der Albtraum mit dem Fremden. Stattdessen kam dem jungen Hirten Amira wieder in den Sinn. Die Zeit verrann und es wollte ihm einfach keine Geschichte einfallen, so sehr er sich auch anstrengte.

Die Mutter bemerkte seine Unruhe. „Khalil, mein Augenschein“, wandte sie sich an ihn. „Was bedrückt dich, mein Sohn? Denkst du immer noch an die Höhle?“

Der Sohn schwieg.

In der Nacht lag Khalil mit offenen Augen auf seinem Schlaflager und betrachtete den Sternenhimmel, als erwartete er von dort eine Lösung.

Der junge Hirte nahm immer weniger Essen zu sich. Er schimpfte über alles und jeden und schien lustlos zu sein.

Huda machte sich Sorgen: „Khalil, du musst essen.“

„Ich habe keinen Hunger.“

„Wenn du so weitermachst, wirst du krank“, warnte die Mutter. Sie ließ nicht locker, bis Khalil ihr von Amira erzählte.

„Du bist verliebt, das ist deine Krankheit“, bemerkte sie.

„Die Medizin ist teuer“, klagte Khalil.

„Wie meinst du das?“, hakte die Mutter nach.

„Die Brautgabe macht mir zu schaffen“, sagte der Sohn.

Die Mutter setzte sich auf. „Wir haben eine Herde, und zur Not wird dein Onkel auch einspringen.“

„Es geht nicht um Ziegen und Kamele“, entgegnete Khalil, „Amira wünscht sich als Brautgabe eine Geschichte.“

„Dann erfinde eine Geschichte!“

„Ich kann noch immer keinen Gedanken fassen“, klagte der Hirte und schaute seine Mutter bekümmert an. „Wünschst du

dir nicht Amira als Schwiegertochter? Viele Frauen des Stammes würden dich beneiden."
Die Mutter stützte ihr Kinn auf die Hand und dachte nach. „Wann sollst du die Geschichte erzählen?"
„Beim nächsten Vollmond. Die Zeit drängt!"
Die Mutter strich ihrem Sohn über die Haare. „Sei unbesorgt, ich werde mir etwas einfallen lassen."
Khalil atmete erleichtert auf.
Eine Woche verstrich.
„Heute ist Neumond", stellte Khalil fest und betrachtete den Nachthimmel.
„Ich weiß", hörte er die Mutter sagen.
„Wie steht es mit der Geschichte?", wollte er wissen.
„Geschichten, mein Sohn, sind wie Bäume", erwiderte die Mutter. „Sie brauchen Zeit zum Wachsen. Geduld ist weise."
Je mehr der Mond zunahm, umso unruhiger wurde der Hirte. Als der Mond in seiner vierzehnten Nacht stand, lief Khalil unruhig vor dem Zelt hin und her. Seine Gesichtszüge waren gespannt.
„Morgen ist Vollmond!"
Die Mutter stand vor dem Zelt, um die Ziegen zu melken. „Ich weiß", sagte sie. „Erst melke ich die Tiere, dann erzähle ich dir die Geschichte."
Khalil wusste sich vor Freude kaum zu fassen. Er umschlang seine Mutter und drückte ihr einen Kuss auf die rechte Wange.

„Einen solchen Kuss habe ich lange nicht bekommen", lachte sie, „warte ab, ob ich ihn auch verdient habe."
Huda erledigte ihre Arbeit. Dann breitete sie vor dem Zeltein-

gang einen Teppich aus und die beiden setzten sich nieder. „Die Abendluft ist angenehm kühl und der Mond leistet uns Gesellschaft“, flüsterte sie.
„Erzähl!“, bestürmte Khalil die Mutter. „Ich platze vor Neugier!“
„Erzähle Amira die Geschichte von dem Wolfsfell.“

Das Wolfsfell

Die Geschichte vom Wolfsfell spielte sich vor langer Zeit beim Stamm der Sleb ab. Die Sleb waren bei den Beduinenstämmen als geschickte Jäger bekannt. Ihre Frauen woben die Zelte nicht wie üblich aus Ziegenhaar, sondern nähten sie aus Gazellenleder.
Ein Jäger dieses Stammes, der nur eine einzige Tochter hatte, verwöhnte diese gerne mit Gazellenfleisch, das er über dem Feuer briet. „Wenn du groß bist, wirst du anmutig sein wie eine Gazelle“, pflegte er zu sagen.
Doch im Laufe der Jahre wurde das Wild rar, und die Sleb fingen an, wie die anderen Beduinen auch Schafe und Ziegen zu züchten.
Jasmin, das Mädchen, wuchs heran. Als sie das heiratsfähige Alter erreicht hatte, verheiratete sie der Vater mit einem jungen Mann ihres Stammes. Die Sleb heirateten meistens unter sich. Jasmin und ihr Mann lebten in einem kleinen Zelt am Rande des

Stammesgebietes. Ein Jahr nach dem Hochzeitsfest gebar Jasmin einen Sohn, der taubstumm war. Es sollte ihr einziges Kind bleiben.

Vierzig Tage nach der Niederkunft unterzog sich die Wöchnerin der rituellen Waschung. Sie legte ein frisches Kleid an, flocht ihr Haar zu Zöpfen und legte ihren Schmuck an. Dann sattelte sie ihren Esel und machte sich mit dem Säugling auf den Weg zu ihren Eltern.

Die Großmutter freute sich, ihr erstes Enkelkind in den Armen zu halten. Voller Stolz betrachtete sie den Kleinen: „Er hat dichtes schwarzes Haar." Aus der Tasche ihres Kleides zog sie ein Amulett und befestigte es am Häubchen des Jungen: „Das Amulett möge dich vor dem bösen Blick schützen!"

Während die Großmutter Tee zubereitete, betrat der Großvater das Zelt. Er war seit dem Morgengrauen bei seinen Tieren auf der Weide gewesen.

„Begrüße deinen Enkelsohn", forderte die Tochter ihren Vater auf und hielt ihm das Bündel hin. „Er hat große Ähnlichkeit mit dir. Schau dir die dichten Augenbrauen und die Nase an!"

„Du hast Recht", lachte der Großvater. „Die Nase muss nur noch ein wenig wachsen. Wie heißt er?", erkundigte er sich.

„Munir!"

„Ein schöner Name", bemerkte die Großmutter. „Dieser Name leitet sich von Licht ab."

„Kinder sind das Licht des Hauses", fügte der Großvater hinzu.

Während die Großmutter Tee ausschenkte, setzte sich der Großvater zu seiner Tochter.

„Mein Mann und ich freuen uns über unseren Nachwuchs",

bemerkte Jasmin und hielt kurz inne, „doch das Kind hat einen Makel."
Die Großmutter unterbrach ihre Arbeit. „Fehlt dem Kleinen etwas?"
„Munir ist taubstumm", erwiderte Jasmin.
„Beruhige dich, meine Tochter", sagte der Großvater, „dein Urgroßvater war auch taubstumm und hat sich durchgeschlagen."
Und die Großmutter fügte hinzu: „Kinder sind Geschenke Allahs. Und was Allah gibt, sollte man voller Dankbarkeit annehmen."
„Ich klage nicht", sagte die Tochter, „doch ich wollte es euch auch nicht verschweigen."
Jasmin verbrachte den Tag im elterlichen Zelt. Als sich die Sonne zu neigen begann, verabschiedete sie sich: „Es ist Zeit zum Aufbruch. Ich habe einen langen Weg vor mir und mein Esel trottet nur langsam."
„Warte einen Augenblick", bat der Vater. „Munir soll das Zelt seines Großvaters nicht ohne Geschenk verlassen."
Er begab sich zum Schafstall, öffnete das Gatter und zog ein blökendes Schaf heraus. „Dieses Tier ist ein Jahr älter als Munir. Im nächsten Jahr kann es bereits Lämmer werfen. Und wenn mein Enkelsohn groß ist, wird er eine eigene Schafherde besitzen."
Jasmin bedankte sich herzlich für das Geschenk.
Die Großmutter band einen Strick um den Hals des Schafes und Jasmin zog zufrieden auf ihrem Esel davon.
„Reite nicht zu schnell", rief ihr der Vater nach. „Das Schaf ist kein Rennkamel!"

Die Großmutter stand vor dem Zelt und winkte, bis Jasmin hinter dem nächsten Hügel verschwunden war.

Mit den Jahren wuchs Munir zu einem kräftigen Burschen heran. Die Stammesbewohner hatten sich an seine Gesten gewöhnt, und dieser wiederum hatte gelernt, ihre Worte von den Lippen abzulesen. Doch zum Kummer der Eltern nannten ihn die Stammesbewohner „den Taubstummen“.

Wie es der Großvater vorausgesagt hatte, war Munir bald Besitzer einer kleinen Herde. Die Mutter bereitete aus der Schafsmilch Butter und Käse, und aus der Wolle wob sie Teppiche, die ihr Mann auf dem Markt verkaufte.

Als Munir siebzehn Jahre alt war, wurde das Stammesgebiet von einer verheerenden Dürre heimgesucht. Den Winter über war der Regen ausgeblieben. Verzweifelt hatten die Mädchen das Regenlied gesungen, in der Hoffnung, die Regenmutter würde Regen spenden. Doch vergebens. Weit und breit waren keine Wolken in Sicht.

„Bei Neumond beginnt der Fastenmonat, Ramadan. Vielleicht bringt der heilige Monat Regen mit sich“, hoffte Jasmin. Sie tröstete ihren Sohn, der sich um seine Herde sorgte.

Obgleich der Regen auch während des Ramadan ausblieb, wollten die Zeltbewohner das Fest des Fastenbrechens nicht ausfallen lassen.

Munir und sein Vater nahmen ein Schaf aus der Herde, das keine Lämmer mehr werfen konnte. Sie luden das Tier auf den Esel und machten sich auf den Weg zum Markt.

Vor Anbruch der Mittagshitze hatten sie den Verkauf getätigt.

Mit dem dritten Händler waren sie über den Preis einig geworden. Mit den Münzen, die ihnen das Schaf einbrachte, kauften sie Geschenke für das Fest. Nachdem sie eine Weile über den Basar geschlendert waren, machten sie sich mit gefüllten Satteltaschen wieder auf den Heimweg.

„Wie gut, dass ihr das Henna nicht vergessen habt", lobte Jasmin, als sie am Abend die Hennapaste anrührte.

„Es sieht aus wie ein Kuhfladen", gab ihr Munir zu verstehen.

„Aber es riecht nicht so", beruhigte ihn die Mutter.

Der folgende Winter brachte genügend Regen. Einmal fielen sogar Schneeflocken auf die Zeltdächer. Die Kinder suchten die Flocken zu erhaschen und wunderten sich nicht wenig, als die weißen Flocken in ihren Händen zu schmelzen begannen.

„Es ist das zweite Mal in meinem langen Leben, dass ich Schnee sehe", berichtete ein Greis.

In diesem Winter füllten sich die Zisternen mit Regenwasser und die Wüste grünte. An vielen Stellen wuchsen Blumen und Kräuter. Nach dem kalten Winter freuten sich die Zeltbewohner über die Frühlingssonne.

Da man wegen der Dürre die Hochzeitsfeste ausgesetzt hatte, fanden in diesem Frühling mehr Feste statt als gewöhnlich. Munir zog von einem Hochzeitsfest zum anderen und tanzte bis zum Morgengrauen.

Für Diebe und wilde Tiere sind solche Feste immer eine willkommene Gelegenheit, um Beute zu machen.

So war es auch dieses Mal.

Munirs Herde lagerte neben dem Zelt. Als der junge Hirte beim

Anbruch der Morgenröte, erschöpft vom vielen Tanzen, in sein Zelt zurückkehrte, wollte er seinen Augen nicht trauen: Er fand das Gehege leer.

Das Gattertor stand sperrangelweit auf. Der junge Hirte schlug sich auf die Stirn. Eilig machte er sich auf die Suche nach seiner Herde.

Sein Schreck war groß, als er am Rande der Schlucht auf das erste Opfer stieß. Der Schafsbock lag mit blutender Kehle im Sand. Der Hirte lief so schnell er konnte weiter in die Schlucht. Immer wieder stolperte er über Tierkadaver. Am Ende der Schlucht fand er eine Hand voll verängstigter Schafe, die sich laut blökend aneinander drängten.

Der Junge trieb den traurigen Rest seiner Herde zum Zeltlager zurück.

Sein lautes Schluchzen weckte die Eltern: „Was ist los?“, fragte der Vater und rieb sich den Schlaf aus den Augen.

Munir deutete auf das fast leere Gehege. Der Vater war fassungslos: „Wo ist die Herde?“

Munir zeigte in Richtung Schlucht.

Der Vater alarmierte die Stammesbewohner und ritt mit einem Dutzend Männer in die Richtung, die ihm sein Sohn gezeigt hatte. Kurz darauf stießen sie auf den Bock.

Ein alter Hirte untersuchte den Kadaver. „Ein Wolf hat ihn gerissen“, stellte er fest. Er betrachtete die Spuren im Sand: „Seine Spur führt in die Schlucht.“

Immer wieder stießen sie auf tote Schafe. „Das ist typisch“, bemerkte der alte Hirte. „Der Wolf begnügt sich nicht mit einem Schaf, er reißt immer viele Tiere.“

Mit hängenden Köpfen kehrten die Männer zum Zeltlager zurück.
Der Vater begann sich Vorwürfe zu machen: „Warum haben wir nicht besser auf unsere Tiere geachtet? Die Schafe sind unser Hab und Gut."
Jasmin schimpfte mit dem Wachhund: „Du Taugenichts! Du hast so viel Fladenbrot gefuttert und kannst nicht einmal Wache halten?"
„Du tust dem Hund Unrecht", widersprach ihr Mann. „Wäre der Wolf am Gatter gewesen, so hätte der Hund angeschlagen. Doch hier sind keine Wolfsspuren." Der Vater betrachtete die Gattertür. „Irgendeinem verdammten Schaf muss es gelungen sein, das Gatter zu öffnen, und die anderen Schafe sind ihm nachgelaufen."
Munir betrachtete den traurigen Rest seiner Herde. Wut kochte in ihm hoch. Auch seine Mutter vermochte nicht, ihn zu besänftigen. Seit diesem Vorfall hatte er schlechte Laune.
Als eine Woche vergangen war, bedeutete Munir seinen Eltern, er wolle den Großvater besuchen.
„Das ist mir recht", sagte die Frau zu ihrem Mann. „Der Besuch wird ihn zerstreuen."
Munir sattelte den Esel und ritt los. Gegen Mittag traf er im Zelt seiner Großeltern ein.
Der Großvater, den die Nachricht von dem Unglück längst erreicht hatte, bemühte sich, Munir zu beruhigen. „Mein Enkelsohn, Allah gibt und Allah nimmt. Das Hirtenleben ist bisweilen hart. Es gibt zwei Gefahren für unsere Herden: Die erste ist die Dürre und die zweite die wilden Tiere." Der Großvater

seufzte. „Was der Hirte in Jahren aufgebaut hat, zerstört der Wolf in einer Nacht."
Die Großmutter reichte ihrem Enkel eine Schale Buttermilch. Er nahm einen Schluck und stellte die Schale beiseite.
Der Taubstumme betrachtete die Jagdausrüstung seines Großvaters, die an der mittleren Zeltstange hing. „Du gehst nicht mehr auf Gazellenjagd", bedeutete er dem Großvater, „gib mir Pfeil und Bogen und deine Lanze."
„Was hast du vor?", wollte der Großvater wissen.
„Ich will den Wolf töten!"
„Einen Wolf zur Strecke zu bringen ist viel schwieriger, als Gazellen zu jagen", gab der Großvater zu bedenken. „Bisweilen erlegt der Wolf den Jäger."
Doch Munir hielt hartnäckig an seinem Vorhaben fest. Er bedrängte den Großvater so lange, bis dieser nachgab und ihn im Umgang mit den Waffen unterwies.
Einen Monat lang übte Munir mit dem Großvater, die Lanze zu werfen und mit Pfeil und Bogen zu schießen. Zum Schluss gelang es Munir sogar, den Lederbalg, den der Großvater in die Luft warf, mit dem Pfeil zu treffen. Der Alte war mit ihm zufrieden. „Jetzt hast du dir die Jagdausrüstung redlich verdient", gab der Großvater seinem Enkelsohn zu verstehen.
Munir nahm die Waffen dankbar entgegen und machte sich auf den Heimweg.
„Der Stammesahn möge dir beistehen", wünschte die Großmutter zum Abschied.

Die Hirten des Zeltlagers belächelten Munir, als sie von seinem Vorhaben erfuhren.

„Der Taubstumme will sich zum Helden mausern!", höhnte einer der Hirten. „Dabei hört er den Wolf noch nicht einmal heulen", setzte ein anderer hinzu.

Jasmin flehte ihren Sohn an: „Was geschehen ist, ist geschehen. Die Herde können wir nicht wieder lebendig machen! Du bist unser einziges Kind. Ich könnte es nicht ertragen, dich zu verlieren!"

Doch Munir war von seinem Vorhaben nicht abzubringen. Er füllte seinen Beutel mit Proviant, warf sich den Wassersack über die Schulter und nahm die Jagdausrüstung zur Hand. Dann machte er sich auf die Suche. Tagsüber hielt er nach den Spuren des Wolfes Ausschau und bei Anbruch der Abenddämmerung kehrte er ins Zeltlager zurück.

Die Tage vergingen. Immer wenn er abends heimkehrte, stichelten die Hirten: „Oh, Jäger, ist dir der Wolf entwischt?"

Doch der Taubstumme ließ sich nicht beirren. Beharrlich setzte er die Suche fort.

Eines Nachmittags war Munir müde vom vielen Laufen. Im Schatten eines Felsvorsprungs setzte er sich nieder, aß ein Stück Fladenbrot und nahm einen Schluck Wasser. Als er sich gestärkt hatte, streckte er die Beine aus und stützte seinen Kopf gegen die Felswand. Er kämpfte gegen die Müdigkeit, doch nach einer Weile hatte ihn der Schlummer überwältigt.

Als der Schatten sich bis zum gegenüberliegenden Felsen verlängert hatte, kroch eine Schlange aus ihrem Loch und bewegte sich auf den Schlafenden zu. Munir schlug erst die Augen auf,

als etwas über seinen Fuß kroch. Er sah aus dem Augenwinkel, wie sich die Schlange davonschlängelte. Als er die erste Schrecksekunde überwunden hatte, griff er nach Pfeil und Bogen.
Er hatte eben den Bogen gespannt, als der Wolf hinter dem Fels auftauchte. Blitzschnell drehte der Jäger den Bogen und zielte auf den Wolf. Sein Pfeil verfehlte das Ziel um Haaresbreite. Der Wolf stutzte einen Augenblick, dann setzte er zum Sprung an.
In diesem Moment warf Munir mit aller Kraft seine Lanze. Die Spitze der Lanze drang in den offenen Rachen des Wolfes.
Das wilde Tier taumelte.
Munir zielte noch einmal mit Pfeil und Bogen.
Röchelnd brach der Wolf zusammen.
Der Taubstumme zitterte vor Erregung. Vorsichtig schaute er sich um. Die Schlange war verschwunden.
Der Hirte zog seinen Dolch und ging auf die Beute zu. Du wirst keine Schafe mehr reißen, dachte er bei sich, während er dem Wolf das Fell abzog. Dann spießte er das Wolfsfell auf die Lanze und machte sich erleichtert auf den Heimweg.
Noch vor Sonnenuntergang erreichte er das Zeltlager.
Die Hirten waren nicht wenig erstaunt, als sie Munir mit seiner Trophäe erblickten. „Wir haben den Taubstummen unterschätzt", gab einer kleinlaut zu. Und ein anderer fügte hinzu: „Fürs Erste sind unsere Herden wieder sicher." Wie ein Lauffeuer verbreitete sich die Meldung vom Wolfsfell.
Jasmin, die keine Ruhe mehr gefunden hatte, seit ihr Sohn auf Wolfsjagd war, weinte vor Erleichterung.
Der Vater umarmte seinen Sohn voller Stolz: „Du bist der erste Jäger unseres Stammes, der einen Wolf erlegt hat."

Schaulustige fanden sich vor dem Zelt ein, um den Jäger und seine Beute in Augenschein zu nehmen.

Die Nachricht von dem Wolfsfell erreichte auch die alte Hebamme des Stammes. Sie machte sich unverzüglich auf den Weg, um das Fell zu begutachten.

„Deine Hände mögen gesegnet sein“, gratulierte sie dem Hirten, und zu Jasmin gewandt sagte sie: „Das Wolfsfell ist nicht mit Goldmünzen aufzuwiegen.“

Jasmin nickte. „Unsere Herden sind jetzt sicher. Die Hirten können ruhig schlafen.“

„Nicht nur der Tiere wegen“, versetzte die Hebamme. „Das Wolfsfell schützt die Kinder!“

„Wie das?“, wollte Jasmin wissen.

„Die Mütter, deren Kinder nach der Geburt starben, werden deinem Sohn dankbar sein“, fuhr die Hebamme fort.

Jasmin machte ein ungläubiges Gesicht.

„Wenn Allah ihnen ein weiteres Kind schenkt, so werde ich das Neugeborene durch das Wolfsfell ziehen. Dann ist es gegen Krankheit geschützt und bleibt am Leben“, erklärte die Hebamme.

„Wenn es so ist“, lachte Jasmin, „wird dir mein Sohn das Wolfsfell sicher schenken.“

Die Geschichte von dem Taubstummen, der den Wolf erlegt hatte, breitete sich binnen kurzer Zeit weit über die Stammesgrenzen hinaus aus. Immer wieder suchten Mütter mit ihren Neugeborenen Rat bei der alten Hebamme. Das Wolfsfell tat ihr gute Dienste.

Es wurde von Generation zu Generation vererbt und die Geschichte von dem tapferen Taubstummen fand Eingang in die Stammesgeschichte.

Talal – Kind der Trage

Talal, der als einziger der drei Bewerber Amiras Stamm angehörte, kam als Zwillingskind zur Welt. Und wenn ihn seine Zwillingsschwester, die als Erste geboren wurde, später ärgern wollte, so brüstete sie sich mit den Worten: „Ich bin die Ältere von uns beiden."
Der Junge war von Geburt an klein und zierlich. Ging die Mutter ihrer Feldarbeit nach, so steckte sie Talal in eine Rückentrage, während sie die Zwillingsschwester auf dem Arm trug. Talal liebte die Trage über alles, denn die wiegenden Bewegungen schaukelten ihn in den Schlaf. Nahm die Mutter ihn heraus und hängte die Trage an die Zeltstange, schrie Talal aus Leibeskräften.

„Du wirst mir allmählich zu schwer", beschwerte sich die Mutter, „und im Übrigen bekommst du X-Beine."

„Tragekinder werden faul, sie können später nicht einmal ein Huhn fangen“, bemerkte eine Nachbarin.

Es war ein harter Kampf, bis die Mutter Talal von der Trage trennen konnte. Und bis zu seinem Lebensende behielt Talal den Spitznamen „Kind der Trage“ bei.

Obgleich Talal ein schmächtiger Junge war, hatte er einen starken Willen und war sehr durchsetzungsfähig.

Da die Familie nicht genug Decken besaß, mussten die Kinder zu dritt unter einer Decke schlafen. Dabei war der mittlere Platz besonders begehrt und Anlass zu vielen Streitigkeiten. Wer in der Mitte lag, musste in der Nacht nicht um die Decke kämpfen, sondern konnte seelenruhig schlummern.

Nie musste die Mutter Talal ermahnen, schlafen zu gehen. Kaum hatte die Familie zu Abend gegessen, kroch er unter die Decke und verteidigte den mittleren Platz mit Zähnen und Klauen.

Talals Vater, Schafik, war Stoffhändler. Während die Mutter das Zelt besorgte und sich um die Kinder kümmerte, war Schafik oft unterwegs. Hatte er eine längere Reise vor, klagte die Frau: „Hätte ich gewusst, dass aus dir ein Händler wird, hätte ich dich nicht geheiratet.“

Doch Schafik verteidigte seinen Beruf: „Mein Gewerbe ist abwechslungsreich. Ich komme viel herum, lerne fremde Menschen und Gegenden kennen. Ich kann mir keine andere Arbeit vorstellen.“

Mit den Jahren wuchs Talal heran. Er war mittelgroß und schlank von Gestalt, und wie es die Mutter befürchtet hatte, bekam er X-Beine.

„Du hast die Hinterbeine eines Kamels", lachten die Kinder ihn aus, wenn sie ihn beim Rennen sahen.
„Kamele sind stark und können schnell laufen", gab der Junge zurück.
Eines Tages, als die Kinder am Rande des Zeltlagers spielten, entdeckte Talal einen herrenlosen Esel. Er nahm das umherirrende Tier mit und band es an einem Zeltpflock fest.
„Woher hast du den Esel?", wollte die Mutter wissen.
„Gefunden!", erwiderte Talal.
Die Mutter betrachtete das Tier. „Dieses Brandzeichen kenne ich nicht", stellte sie fest. „Sag im Scheichzelt Bescheid, dass dir ein fremder Esel zugelaufen ist. Sonst denkt am Ende noch jemand, du hast ihn gestohlen."
Nachdem Talal den Scheich benachrichtigt hatte, gab er dem Esel zu trinken und fütterte ihn mit Heu. Mit der Zeit wurde der Esel kräftig und bekam einen kugelrunden Bauch. „Mein Esel ist der schnellste im ganzen Zeltlager", freute sich der Junge. Den ganzen Frühling versorgte er den fremden Esel.
Eines Morgens tauchte ein Fremder im Zeltlager auf. Es stellte sich heraus, dass er auf der Suche nach seinem Esel war. „Er ist dunkelgrau und hat auf der linken Backe ein Brandmal in Form eines Hufeisens", beschrieb er dem Scheich das Tier.
„Wann ist dein Esel verschwunden?", wollte dieser wissen.
„Als der Winterregen vorüber war", antwortete der Fremde.
„Ich glaube, wir können dir weiterhelfen", lächelte der Scheich.
Auf einen Wink hin machte sich der Sohn des Scheichs auf die Suche nach Talal.
Kurze Zeit danach erschien Talal mit dem Esel.

Der Fremde sprang auf und musterte das Tier von allen Seiten. Sein Gesicht strahlte, als er dem Esel über den Bauch strich. „Hab ich dich wieder, du Ausreißer!“ Er wandte sich an den Jungen: „Hast du meinen Esel gefunden?“
Talal nickte.
„Er steht gut im Futter“, lobte der Besitzer den Jungen. „Du hast eine Belohnung verdient.“
Der Scheich nickte: „Talal ist in der Tat ein zuverlässiger Junge. Hätte er den Esel nicht an sich genommen, so hätte ihn vielleicht ein Wolf gerissen.“
„Ich weiß es zu schätzen“, betonte der Besitzer. „Der Esel ist von edler Herkunft. Ich hänge an diesem Tier. Schon seine Mutter hat mir lange Zeit Dienste erwiesen.“ Er griff in seine Gewandtasche und reichte Talal zwei Piaster: „Für den ehrlichen Finder!“
Der Junge bedankte sich und rannte mit den Münzen in der Hand zu seiner Mutter.
„Für den Finderlohn kannst du dir ein Gewand kaufen“, freute sich die Mutter.
Als der Vater von seiner Reise zurückkehrte, empfing ihn Talal schon vor dem Zelt. „Ich habe zwei Münzen bekommen“, rief er aufgeregt.
„Von wem?“, wollte Schafik wissen.
„Der Besitzer des Esels ist aufgetaucht und hat mir als Belohnung zwei Piaster geschenkt.“

Der Vater strich seinem Sohn über die Wange: „Soll ich dir für die Münzen etwas vom Markt mitbringen?“
Talal zögerte.

„Hast du Angst um deine Münzen?", lachte der Vater.
„Nein", erwiderte sein Sohn. „Ich bin groß genug, ich möchte mir selbst auf dem Markt ein Gewand aussuchen."
Der Vater war einverstanden: „Wie du willst. Ich muss in einigen Tages sowieso auf den Markt um Stoffe zu kaufen. Da kannst du mich begleiten."
Talal zählte die Tage und wartete ungeduldig auf den Aufbruch. Am Vorabend verfolgte er aufmerksam die Vorbereitungen.
Während der Vater am nächsten Morgen die leeren Satteltaschen am Reitsattel seines Kamels befestigte, trat Talal von einem Fuß auf den anderen und hielt seine Münzen fest. Selbst das Kämmen ließ er an diesem Morgen willig über sich ergehen.
Schafik bestieg das Kamel und Talal setzte sich hinter ihn auf den Kamelrücken. „Halt dich fest!", rief der Vater, als er mit dem Stock dem Kamel das Zeichen zum Aufstehen gab.
„Gute Reise!", wünschte die Mutter zum Abschied.

Nach einem längeren Ritt erreichten die beiden zur Zeit des Mittagsgebets den Basar der Stadt. Schafik suchte unverzüglich den Stoffhändler auf, bei dem er seine Ware zu kaufen pflegte.
Als dieser ihn kommen sah, winkte er dem Kaffeehausbesitzer, der schräg gegenüber sein Geschäft betrieb, zu: „Bringe mir für den Gast aus der Wüste einen Kaffee und für den Jungen eine Limonade!"
Talal nippte andächtig an dem süßen Getränk. Noch nie in seinem Leben hatte er so etwas Köstliches getrunken.
Während der Vater die Stoffballen betrachtete und einige Stoffe prüfend durch seine Hände gleiten ließ, schaute der Junge dem

Treiben in der Gasse zu. Ein bunt berockter Wasserträger mit einem Kanister auf dem Rücken machte lautstark auf sich aufmerksam. Ein verstockter Esel, beladen mit schweren Säcken, wurde von seinem Besitzer durch die enge Gasse getrieben. Vor dem Obstverkäufer stand dicht gedrängt eine Traube von Menschen. Mit offenem Mund starrte Talal auf einen Stand, der Süßigkeiten in allen Farben feilbot. Dann wieder stiegen ihm die Düfte unterschiedlicher Gewürze in die Nase. Talal war überwältigt von den Eindrücken.

Mittlerweile hatte Schafik Stoffe ausgesucht und feilschte mit dem Händler über den Preis. „Ich bin Stammkunde bei dir", suchte er den Händler zu überzeugen, während dieser lauthals verkündete, sein Gewinn werde immer schmäler und alles würde immer teurer. Nach längerem Gefeilsche einigten sich die beiden auf den Preis.

Dann wies Schafik auf seinen Sohn: „Ich habe dir einen neuen Kunden mitgebracht. Er sucht ein Gewand."

Der Händler verschwand hinter einem Vorhang und kramte eine Weile. Mit einem safrangelben Gewand über dem Arm erschien er kurze Zeit später wieder: „Schaut euch diesen Kaftan an! Der Stoff ist fein gewoben, er glänzt wie die Sonne."

„Wie teuer soll er sein?", erkundigte sich Talal. Er griff in seine Tasche, um sich zu vergewissern, dass er seine Münzen nicht verloren hatte.

„Für den Sohn meines besten Kunden drei Piaster."

Talal machte ein langes Gesicht. „Ich habe nur zwei Piaster."

Der Stoffhändler öffnete seine Hand: „Nun gut, ich verzichte auf den Gewinn."

Der Junge ließ die Münzen in die Hand des Händlers gleiten und nahm beglückt den Kaftan in Empfang.
„Du wirst darin aussehen wie ein Bräutigam“, bemerkte der Stoffhändler verschmitzt.
Talal senkte verlegen die Augen.
„Du hast es gut, Schafik“, wandte der Händler sich an den Vater: „Du hast einen Sohn, der dir bei der Arbeit helfen kann.“ Er seufzte: „Mir hat Allah keine Kinder geschenkt.“
„Du hast einen großen Laden und bist wohlhabend“, tröstete ihn der Vater.
Der Stoffhändler half den beiden, die Stoffe in die Säcke zu packen.
„Wir erledigen unsere Einkäufe auf dem Bazar. Bis dahin lassen wir unsere Waren bei dir“, sagte Schafik. Der Stoffhändler nickte.
Schafik und Talal kauften Kaffee, Tee und Zucker. Beim Schuster holten sie Sandalen, und schließlich erstanden sie noch einen Beutel Süßigkeiten für die Geschwister. Dann packten sie ihre Schätze in die Satteltaschen des Kamels, verabschiedeten sich wortreich von dem Stoffhändler und begaben sich auf den Heimweg.
Die Rückreise war beschwerlich, denn die beiden mussten die ganze Strecke zu Fuß zurücklegen. Schon bald klagte Talal über Schmerzen in den Beinen. Er bettelte so lange, bis der Vater nachgab und ihn auf das Kamel steigen ließ. „Nur bis zur nächsten Kreuzung“, betonte der Vater. „Ein Reiter muss Rücksicht nehmen auf sein Reittier.“

Im Laufe der Jahre begleitete Talal seinen Vater noch einige Male auf Geschäftsreisen. Doch dann stellte er fest, dass er sich für den Beruf des Händlers nicht eignete.

„Wer Handel treiben will, muss zwei Dinge können: Rechnen und Laufen“, hatte ihm sein Vater eingeschärft. Beides konnte Talal nicht allzu gut.

Einige Zeit spielte er mit dem Gedanken, später einmal Stammesrichter zu werden. Die Vorteile dieses Berufes schienen ihm auf der Hand zu liegen: Ein Richter musste seiner Arbeit nicht nachlaufen, die Arbeit kam zu ihm.

Talal verbrachte viel Zeit im Zelt des Stammeskadis und wohnte zahlreichen Verhandlungen bei. Doch allmählich langweilten ihn die Streitfälle, und er gab die Hoffnung auf, sein Brot als Richter zu verdienen.

Gelegentlich half Talal seinem Vater, ab und an molk er auch die Ziegen. Ansonsten trieb er sich in der Gegend herum.

Die Mutter begann sich Sorgen um ihren Sohn zu machen. „Händler zu sein ist dir zu anstrengend“, klagte sie. „Stammesrichter zu sein ist dir zu langweilig und für den Hirtenberuf bist du nicht kräftig genug.“ Die Mutter schüttelte den Kopf. „Irgendetwas musst du doch können!“

„Ich bin jung, das Leben liegt noch vor mir“, wehrte Talal ab.

Um sich die Zeit zu vertreiben, besuchte Talal ein Hochzeitsfest nach dem anderen. Bisweilen legte er auf seinem Esel weite Strecken zurück und tauchte erst nach Tagen wieder im Zeltlager auf. Tanzen konnte er zwar nicht mit seinen X-Beinen, doch er war ein leidenschaftlicher Sänger. Er hatte eine klare Stimme.

Einmal, als Talal am frühen Morgen von einem Fest zurückkehrte, bat er seine Mutter um eine Tasse Tee.
„Schäm dich!", fuhr ihn die Mutter an. „Während dein Vater sich abplagt, hast du nichts anderes im Sinn, als dich auf Festen zu vergnügen." Sie streifte ihn mit einem Seitenblick. „Du krächzst wie ein Rabe."
„Ich habe die ganze Nacht gesungen", gab Talal zurück. Er rollte in der Ecke des Zeltes eine Matratze aus und legte sich sogleich schlafen.
„Was soll nur aus dem Jungen werden?", murmelte die Mutter, während sie das Feuer anfachte. Sie wollte Kaffee kochen. „Andere sind erschöpft von der Arbeit, mein Sohn ist müde vom Singen." Sie legte den Rost über das Feuer und starrte gedankenverloren in die züngelnden Flammen. Talal zog sich missmutig die Decke über den Kopf und bald waren nur noch seine regelmäßigen Atemzüge zu hören.
Unterdessen war Schafik, wie so oft, auf dem Weg zum Bazar. Er hockte auf seinem Kamel, das ihn hin und her schaukelte, und dachte nach. „Wie lange werde ich das Händlerdasein noch verkraften? Ich vermisse meine Familie." Er betrachtete seinen wandernden Schatten. „Ich bin allmählich in dem Alter, wo man sich zur Ruhe setzt und seine Söhne arbeiten lässt."
Am späten Nachmittag erreichte Schafik den Bazar. Wie gewöhnlich suchte er den Stoffhändler auf. Verwundert trat er durch den Ladeneingang. Der Laden war überfüllt mit Stoffballen in allen Farben.

„Sami, wo bist du?", rief er den Händler.
„Hier!", antwortete der Angesprochene und versuchte sich

einen Weg durch seine Waren zu bahnen. „Ich ersticke in meinen Stoffen“, keuchte er.

„Woher stammt die Ware?“, wollte Schafik wissen.

„Eine Schiffsladung aus China ist eingetroffen. Beste Ware zu günstigem Preis“, erzählte der Stoffhändler, „und ich war rechtzeitig am Hafen.“ Er strahlte. „Ich habe mein gesamtes Vermögen für diese Ladung ausgegeben. Greif zu, eine so günstige Gelegenheit klopft nicht zweimal an die Tür.“

Schafik musterte die Stoffe, ließ sich die Preise sagen und rechnete. Er witterte das Geschäft seines Lebens. Er begann, die Stoffe zu durchwühlen, wählte von diesem und jenem einen halben Ballen und war guter Dinge.

Der Stoffhändler ermunterte ihn: „Bezahl die Stoffe, wenn du sie verkauft hast. Ich stunde dir, was dir an Münzen fehlt.“

Schafik nahm das Angebot freudig an. Am Ende lagen drei Kamelladungen voll Stoff vor ihm. Wohlwollend verfolgte der Händler das Geschäft.

Schafik lieh sich noch zwei Kamele von der Karawanserei, dann trat er beglückt den Heimweg an. „Wenn ich alle Stoffe verkaufe, habe ich ausgesorgt“, rechnete er sich aus und strahlte über das ganze Gesicht.

Als die kleine Karawane im Zeltlager eintraf, wusste die Frau nicht, ob sie weinen oder lachen sollte. „Hast du den Verstand verloren?“, fragte sie ihren Mann. „Willst du im Zeltlager einen Bazar aufmachen?“

Überschwänglich umarmte Schafik seine Frau. „Eine einmalige Gelegenheit! Wenn ich diese Ware los bin, verkaufe ich die Satteltaschen und bleibe bei dir.“

„Dein Wort in Allahs Ohr“, hörte er seine Frau sagen.
„Wo ist Talal?“, erkundigte sich Schafik. „Er soll mir beim Abladen helfen.“
„Er ist mit zwei Freunden zu einem Hochzeitsfest aufgebrochen“, erwiderte die Frau.
„Das Schwert der Tänzerin soll ihn treffen!“, fluchte der Vater. Er begann die schweren Säcke abzuladen. Die Frau half ihm dabei.
Die Stoffballen türmten sich bis zum Zeltdach. Zufrieden ließ sich Schafik auf dem Teppich nieder und schlürfte genussvoll eine Tasse Tee. Während er mit seiner Frau über seine Zukunftspläne plauderte, warf er ab und zu einen Blick auf die Waren.

An diesem Abend ließ Amira Talal die Botschaft überbringen, er solle eine zweite Geschichte für sie erfinden.
Der junge Mann erinnerte sich, wie viel Mühe ihn die erste Geschichte gekostet hatte. Erschöpft vom ausgiebigen Feiern trat er mit seinem Esel die Rückreise an. Der Gedanke an Amira ließ ihn nicht los.
Als Talal weit nach Mitternacht durch den Zelteingang schlüpfte, lagen alle in tiefem Schlummer. Er legte sich auf seine Matratze. Doch obgleich er müde war, konnte er keinen Schlaf finden. Er wälzte sich noch eine Weile hin und her, dann erhob er sich, um das Feuer anzufachen. „Eine Tasse Tee wird mich beruhigen“, dachte er bei sich.
Während die Flammen aufzüngelten, entdeckte er im Feuerschein die gestapelten Stoffballen. Er fasste sich an den Kopf: „Mein Vater will die Wüstenbewohner alle auf einmal einklei-

den." Doch dann plagte ihn das schlechte Gewissen: „Wie lange muss mein Vater von Stamm zu Stamm reiten, bis er die Stoffe alle los ist?"

Nach der dritten Tasse schmeckte der Tee bitter. Den letzten Schluck spuckte er in hohem Bogen in die zischende Glut. Dann legte er sich zur Ruhe.

Gegen Morgen kam ein starker Ostwind auf. Er blies durch die Zeltlöcher und blähte das Zeltdach auf. Die restliche Glut wirbelte durch das Zelt und landete auf den Stoffballen, die sich in Windeseile entzündeten.

Ein Nachbar, der neben seinem Zelt die rituelle Waschung für das Morgengebet vollzog, sah Rauchschwaden in den Himmel steigen und weckte mit lautem Geschrei die Zeltbewohner.

Hastig packten Schafik und seine Frau die Kinder und flüchteten aus dem Zelt. Schafik versuchte noch ein paar Habseligkeiten zu retten, doch die Flammen hatten bereits die Zeltbahnen erfasst. Hilflos mussten sie zusehen, wie ihr Hab und Gut von den Flammen gefressen wurde.

Schafik, der fassungslos vor den traurigen Resten seines Zeltes stand, jammerte: „Das Zelt ist weg, die Stoffe sind verbrannt. Ich bin ruiniert!"

Seine Frau schluchzte: „Wir sind verschuldet bis über beide Ohren. Was soll aus uns werden?"

Talal stand kreidebleich neben seinem Vater und starrte auf die Rauchschwaden. „Ich habe in der Nacht Feuer angefacht", stammelte er.

„Hast du die Glut nicht gelöscht?", fuhr ihn der Vater an.

Talal schwieg.

Schafik war außer sich. Rot vor Zorn packte er seinen Sohn am Kragen. Nur mit größter Mühe gelang es den Nachbarn, Talal zu befreien.

„Du hattest Glück im Unglück“, bemerkte der Nachbar, „ihr seid alle unversehrt.“

Schafik zitterte vor Wut.

„Was geschehen ist, ist geschehen“, suchte ihn der Stammesälteste zu beruhigen.

Doch Schafik war nicht zu bändigen. „Was habe ich verbrochen, dass ich so bestraft werde?“, schrie er.

Unterdessen traf der Scheich ein. „Schafik und seine Familie sind meine Gäste“, sagte er und legte seine Hand auf Schafiks Schulter.

Er geleitete die Familie zu seinem Zelt. Während er sich um seine Gäste kümmerte, trafen die ersten Spenden ein: Eine Frau ließ eine Zeltbahn überbringen, eine zweite schleppte eine Zeltstange herbei und ein Mann spendierte einen Teppich. Am späten Nachmittag entstand notdürftig ein kleines Zelt, das die Stammesbewohner so wohnlich wie möglich einrichteten.

Schafik bedankte sich für die Hilfsbereitschaft.

An diesem Abend saß die Familie in dem kleinen Zelt beisammen. Die Stimmung war bedrückt. Während Talal in einer Ecke kauerte und sich nicht rührte, drückten sich die jüngeren Geschwister verängstigt an die Mutter.

„Wir haben den Zeltbrand unversehrt überlebt“, tröstete sich die Mutter, „wir dürfen die Hoffnung nicht aufgeben.“

„Noch haben wir unsere kleine Herde“, sprach sich der Vater Mut zu. „Den Handel werde ich wohl oder übel aufgeben.“

„Dann bist du wenigstens bei mir", setzte die Frau mit bitterem Humor hinzu. Sie legte ihren Arm um die Schulter ihres Mannes: „Mein Brautschmuck ist in seinem Versteck. Er wird einen Teil der Schulden decken."

Nach und nach kehrte für die Familie der Alltag wieder ein.

Talal war nach dem Zeltbrand wie ausgewechselt. Was er bislang nur zum Spaß betrieben hatte, verfolgte er nun mit großer Ernsthaftigkeit: Er hatte beschlossen, Sänger zu werden. Jede freie Stunde nutzte er zum Üben. Unzählige Male wiederholte er die Texte und Melodien der Lieder. Sein Talent sprach sich herum und bald bekam er die ersten Aufträge, auf Festen zu singen. Was immer er verdiente, gab er seinem Vater. Mit der Zeit schmolz der bedrückende Schuldenberg.

„Etwas Gutes hatte der Brand", bemerkte Schafik zu seiner Frau, als er die Münzen zu zählen begann, „Talal hat den Ernst des Lebens begriffen."

„Jeder kann aus Versehen einen Zeltbrand verursachen, doch nicht jeder zieht daraus eine Lehre", pflichtete ihm seine Frau bei.

Und mit der Zeit wurde der Sohn des Händlers Schafik zum berühmtesten Sänger der Gegend.

Eines Abends trug Talal auf einem Hochzeitsfest mit großer Leidenschaft seine Lieder vor. Seine Stimme stockte, als er im Mondlicht die Braut auf dem Weg in das Brautzelt erblickte. Wehmütig dachte er an Amira. In wenigen Tagen sollte er ihr seine Geschichte erzählen. Nur mit Müh und Not konnte Talal seinen Auftritt zu Ende führen.

Am nächsten Tag lag er gedankenversunken auf dem Teppich und sprach nur wenig.

„Ich verstehe, du musst deine Stimme schonen", wandte sich die Mutter an ihren Sohn und reichte ihm eine Schale Buttermilch.

„Das ist es nicht", erwiderte Talal mürrisch.

Die Mutter ließ sich auf dem Teppich nieder: „Du brauchst dir keine Sorgen zu machen. Die Schulden sind fast abgetragen und das ist dein Verdienst", betonte sie und fuhr fort: „Ich bin sehr stolz auf dich, mein Sohn."

„Es sind nicht die Schulden, die mich bedrücken", erwiderte Talal.

Die Mutter horchte auf. „Was ist es dann?"

„Ich möchte Amira heiraten. Als Brautgabe verlangt sie eine Geschichte von mir."

Die Mutter fasste Talal an der Hand. „Du bist immer für eine Überraschung gut. Nicht einmal im Traum hätte ich gedacht, dass du mit deinen X-Beinen Chancen hättest, das begehrteste Mädchen der Wüste zu heiraten."

„Amira wartet auf eine Geschichte", stöhnte Talal.

„Dann streng dich an", schlug die Mutter vor.

„Ich habe weder Zeit noch Ruhe", hörte sie Talal sagen. „Du musst mir helfen!"

„Ich werde nachdenken", versprach die Mutter.

Talal ging weiter seinen Verpflichtungen nach. Und immer, wenn er von einem Fest zurückkehrte, erkundigte er sich neugierig bei seiner Mutter nach der Geschichte.

„Beim nächsten Vollmond", vertröstete ihn die Mutter.

Als er zwei Tage später um Mitternacht das Zelt betrat, war die Mutter noch wach. „Ich habe eine Geschichte für dich“, empfing sie ihren Sohn. „Setzen wir uns vor das Zelt“, flüsterte sie ihm zu. „Lassen wir die anderen schlafen.“
Und Talal hörte mit gespannten Ohren der Geschichte von der Mutprobe zu.

Die Mutprobe

Die Geschichte von der Mutprobe trug sich vor langer Zeit bei einem berühmten Stamm zu. Dieser Stamm wurde von einem mächtigen Scheich geführt, der für seine Strenge bekannt war. Niemand hätte es jemals gewagt, sich ihm in irgendeiner Form zu widersetzen.
Der Scheich, der den Namen Alkabir, der Große, trug, heiratete mehrere Frauen in der Hoffnung auf zahlreiche Nachkommen, die seinen Ruf stärken und seine Nachfolge sichern sollten.
Doch das Schicksal war ihm nicht gewogen. Seine drei Frauen gebaren ihm keine Kinder. Die Stammesbewohner erzählten sich hinter vorgehaltener Hand, die Schuld liege beim Scheich. Dieser jedoch war der Überzeugung, dass seine Frauen nicht imstande wären, Kinder zu gebären. Er beschloss, einen neuen

Versuch zu wagen, und heiratete eine vierte Frau.
Nach sieben Jahren gebar die junge Frau eine Tochter. Der stolze Vater gab dem Mädchen den Namen Jasmin. Und da Jasmin sein

einziges Kind blieb, beschloss der Scheich, sie wie einen Sohn aufzuziehen.

Jasmin wuchs heran und alle Welt nannte sie die „Tochter des Großen".

Das Mädchen war weder besonders hübsch noch besonders hässlich. Sie war von großer, schlanker Gestalt und hatte eine dunkle Stimme.

Der Scheich nahm Jasmin mit auf die Jagd, sie begleitete ihn auf Reisen und besuchte mit ihm fremde Stämme. Sie saß neben ihrem Vater im Männerzelt und empfing Gäste.

Ein besonderes Anliegen des Scheichs war es, seiner Tochter das Reiten beizubringen. Sie zeigte sich als gelehrige Schülerin und brachte es mit der Zeit zu großer Meisterschaft: Vom galoppierenden Pferd aus gelang es ihr, auf ein anderes Pferd zu wechseln. Jasmin nahm es mit den besten Reitern des Stammes auf. Bei Pferderennen ging sie des Öfteren als Siegerin durch das Ziel.

Die Männer des Stammes betrachteten die Entwicklung argwöhnisch. „Wenn es so weitergeht, werden wir eines Tages von einer Frau geführt werden", befürchtete der Stammesälteste.

„Den Eindruck habe ich auch", stimmte ihm ein anderer zu. „Jasmin wiegt mehrere Söhne auf."

Als das Mädchen das heiratsfähige Alter erreicht hatte, hielten ein Dutzend Scheichsöhne von nah und fern um ihre Hand an. Jasmin wehrte ab. Der Scheich, der sich Hoffnung auf Nachkommen machte, suchte die Bedenken seiner Tochter zu zerstreuen.

Nachdem zwei Jahre ins Land gezogen waren, wurde der Scheich ungeduldig. „Was gefällt dir an den Heiratsbewerbern nicht?", bedrängte er seine Tochter. „Ein Mädchen muss heiraten."

„Ich heirate nur einen Mann, der ebenso stark ist wie ich", gab Jasmin zurück. „Was soll ich mit einem Schwächling anfangen?"

„Dann stelle sie auf die Probe", riet der Vater.

Jasmin dachte nach. Dann fand sie eine Lösung.

Fern vom Stammeslager errichtete sie ein Zelt, dessen Zeltbahnen dicht gewoben waren und keine Löcher aufwiesen. Dann lud sie die Scheichsöhne zu einer Mutprobe ein. Die zwölf Bewerber folgten der Einladung.

Jeder von ihnen hatte sich für die Mutprobe gerüstet. Der eine trug eine Lanze, der zweite ein Schwert, ein dritter hatte seinen Dolch im Gurt, ein vierter hatte Pfeil und Bogen mitgebracht.

„Ihr sollt weder kämpfen noch wilde Tiere erjagen", empfing Jasmin die jungen Männer und geleitete sie zum Zelt. „In diesem Zelt habe ich Feuer angefacht. Es ist finster vor Rauch. Wer von euch am längsten darin auszuharren vermag, soll mein Bräutigam sein."

Der erste betrat mutig das Zelt und hockte sich an die Feuerstelle. Es war dunkel und die Rauchwolken drangen in seine Nase. Er versuchte standhaft zu bleiben, doch nach kurzer Zeit stürzte er laut hustend aus dem Zelt.

Jasmin winkte dem zweiten Bewerber. Auch dieser tauchte wenig später mit triefender Nase und Augen wie Tomaten wieder aus dem Zelt auf.

Den dritten hörte man schon im Zelt fluchen: „Ein teuflischer

Plan!“ Als er sich vor dem Rauch ins Freie rettete, ließ er einen Furz fahren.

So trieb Jasmin ihr Spiel, bis der letzte Bewerber an die Reihe kam.

„Tritt ein!“, forderte Jasmin ihn auf.

Der Scheichsohn zuckte mit den Schultern.

„Du zögerst? Hältst du dich für besser als die anderen?“

„Nicht für ein Dutzend Mädchen wie dich würde ich mich einer solchen Probe unterwerfen“, gab der Scheichsohn zurück.

Vergeblich suchte Jasmin ihn umzustimmen.

Während den anderen der Rotz aus der Nase lief und die Augen tränten, bestieg der junge Scheichsohn voller Stolz seine Stute.

„Warte!“, hielt Jasmin ihn zurück. „Wer sich der Unterwerfung widersetzt, ist würdig, mein Bräutigam zu sein.“

Der Scheichsohn hob Jasmin auf sein Pferd und ritt mit ihr davon.

Verdutzt schauten die anderen den beiden nach.

Jasmin heiratete den stolzen Bewerber und war, zur Freude des alten Scheichs, mit vielen Kindern gesegnet.

Nabil – Kind der Wiege

Nabil, der dritte Bewerber um Amiras Hand, ließ sich nicht beirren, als er von der neuerlichen Aufgabe erfuhr, Amira eine zweite Geschichte zu erzählen. Er hoffte inständig, aus diesem Wettbewerb als Sieger hervorzugehen.

Nabil war der Sohn eines Scheichs aus dessen Verbindung mit seiner ersten Frau Salwa. Diese hatte vor Nabil eine Tochter geboren, dann einen Sohn, der jedoch kurz nach der Geburt starb.

So galt Nabil als der erstgeborene Sohn des Scheichs und sollte – wenn es an der Zeit war – seine Nachfolge antreten.

Der Scheich heiratete im Laufe der Jahre noch zwei weitere Frauen, die neben dem großen Scheichzelt ihre kleinen Zelte aufschlugen. Dort lebten sie mit ihren Kindern.

Das große Scheichzelt war zweigeteilt. Die rechte Hälfte war

den Männern vorbehalten. In diesem Teil des Zeltes wurden die Gäste empfangen und Recht gesprochen. Die andere Hälfte bewohnte Salwa mit ihren Kindern.

Nabils Mutter, die selbst auch einer Scheichfamilie entstammte, war eine kluge und feinfühlige Frau mit einer besonderen Gabe für Dichtung. Obgleich sie nie lesen und schreiben gelernt hatte, kannte sie eine Vielzahl von Versen auswendig. Man rühmte ihr Gedächtnis. Sie brauchte ein Gedicht nur einmal zu hören, um sich die Verse einzuprägen.

Salwa war bestrebt, ihrem Sohn die Neigung zur Poesie schon von Kindesbeinen an zu vermitteln. „Dichtung verfeinert die Persönlichkeit“, pflegte sie zu sagen.

Als Nabil geboren war, baute Salwa eine Wiege für ihren Sohn. An die vier Ecken eines kleinen Teppichs band sie Seile, die sie an den Zeltstangen befestigte. Auf den Teppich legte sie ein Lammfell. Und immer, wenn der Kleine schrie, legte die Mutter ihn in die Wiege, schaukelte ihn und trug ihm Verse vor.

Gerne rezitierte sie das folgende Gedicht:

Man brachte die Schönheit, um ihn zu vergleichen;
Da senkte die Schönheit beschämt ihr Haupt.
Man sprach: Oh Schönheit, sahst du dergleichen?
Sie rief: Das zu sehen hätt ich nie geglaubt.

So ging Nabil die Dichtung in Fleisch und Blut über.

„Dein Sohn ist ein Wiegenkind“, pflegte der Scheich zu sagen, wenn er den Kleinen in der Wiege schlummern sah.

Nabil wuchs heran. Im Laufe der Jahre gebar die Mutter noch weitere vier Kinder, doch Nabil war und blieb ihr Lieblingssohn. Trafen Gäste im Scheichzelt ein, so war der Junge oft zugegen. Er lauschte aufmerksam den Gesprächen, auch wenn er noch nicht alles begreifen konnte.

Eines Tages bekam der Scheich einen Brief aus der Stadt. Behutsam faltete er das Papier auseinander und betrachtete es eingehend. Er erkannte einen Stempel, der das Papier als Dokument auswies, doch entziffern konnte er das Schreiben nicht.

Im ganzen Zeltlager fand er niemanden, der des Lesens mächtig gewesen wäre. Nachdenklich saß der Scheich in seinem Zelt und hielt das Papierstück in der Hand.

„Was hast du?“, fragte Salwa, die gerade dabei war, die Teppiche auszuschütteln.

„Ich fühle mich wie ein Taubstummer auf dem Hochzeitsfest“, erwiderte der Scheich. „Man hat mir ein Dokument geschickt und ich kann nicht einen Buchstaben entziffern.“

Salwa überlegte eine Weile. Dann sagte sie: „In meinem Stamm gibt es einen alten Koranlehrer. Ihn könntest du doch um Hilfe bitten.“

Der Scheich drehte das Dokument um: „Ich weiß nicht einmal, was oben und unten ist.“ Er seufzte und faltete das Papier wieder zusammen. „Lesen und Schreiben müsste man können!“, murmelte er.

Salwa blickte ihren Mann an. „Ja, die Zeiten haben sich geändert. Heutzutage sollte ein Scheich in der Tat schreiben und lesen können.“

„Du hast Recht“, stimmte ihr der Mann zu. „Ich, in meinem

Alter, werde diese Kunst nicht mehr erlernen. Doch Nabil soll mit der arabischen Schrift vertraut werden."
„Das ist eine kluge Entscheidung", meinte Salwa. „Wer aus der eigenen Hand trinkt, wird keinen Durst leiden."
Der Scheich beschloss, den Koranlehrer aus Salwas Stamm zu sich zu bitten. Gesagt, getan! Unverzüglich schickte er einen Reiter los. Und schon am nächsten Tag traf der alte Koranlehrer ein.
„Gegrüßt sei der Gelehrte", empfing der Scheich den Gast und geleitete ihn in das große Zelt.
Nachdem er den Besucher bewirtet hatte, holte er aus seiner Gewandtasche das zerknitterte Papier und reichte es ihm. Erwartungsvoll blickte der Scheich den Koranlehrer an.
Der Lehrer schmunzelte: „Der Händler Abu-Ahmed aus der Stadt bittet dich, deine alten Schulden zu begleichen. Du hast eine Frist bis zum nächsten Neumond, dann geht er zum Kadi."
Das Gesicht des Scheichs wurde lang.
„Hattest du auf eine Einladung gehofft?", fragte der Koranlehrer verschmitzt und fügte hinzu: „Nicht immer ist es vorteilhaft, lesen zu können!"
„Sei es drum", erwiderte der Scheich. „Schreibe dem Händler bitte folgenden Brief:
‚Ein Beduine raubt, aber er begleicht seine Schulden. In einem Monat werde ich Lämmer auf dem Markt verkaufen, dann bekommst du deine Münzen zurück.'"
Der Koranlehrer schrieb die Worte des Scheichs nieder.

„Ich habe dich noch aus einem anderen Grund hierher gebeten", sagte der Scheich nun und reichte dem Gast ein Schälchen

Kaffee. „Die Zeiten haben sich geändert. In Zukunft muss ein Scheich lesen und schreiben können.“ Er blickte den alten Lehrer an: „Kannst du meinen Sohn Nabil unterrichten?“
Der Koranlehrer nahm einen tiefen Zug aus seiner Zigarette.
„Wie lange brauchst du, meinem Sohn Lesen und Schreiben beizubringen?“, drängte ihn der Scheich.
„Das kommt darauf an, wie klug dein Sohn ist“, erwiderte der Koranlehrer.
„Nabil, komm her!“, rief der Scheich seinen Sohn. „Begrüße den Gast und trage ihm ein Gedicht vor!“
Nabil trat in das Scheichzelt, verneigte sich vor dem Gast und begann zu rezitieren:

„Reise! Du findest Ersatz für ihn, von dem du
dich trennst.
Mühe dich ab! Denn die Süße des Lebens besteht
in der Mühe.
Das Stillsitzen, deucht mich, bringt weder Ansehen
noch Einsicht.
Nein, nur ein kümmerlich Dasein; drum lasse
die Heimat und zieh!

Ich habe gesehn, wie die Ruhe des Wassers
ihm Fäule bringet.
Doch fließt es, so ist es frisch; wo nicht, bleibt's
trübe stehen.

Nähme der Mond nicht ab, so würde das Auge
des Menschen
nicht immer auf ihn schauen, um seine Zeichen
zu sehen.
Verließe der Löwe nicht sein Lager, er fänd keine
Beute.
Verließe der Pfeil nicht den Bogen, er würde sein Ziel
nicht erreichen.
Bleibt das Gold in der Mine, so gleicht es doch nur
dem Staube.
Und Aloe ist in der Erde dem Brennholz zu
vergleichen.
Doch geht dies in die Ferne, so ist es kostbar an Wert.
Und Aloe wird in der Ferne noch höher als Gold
geehrt."

„Du hast Sinn für Poesie", lobte der Lehrer den Jungen. „Wie alt bist du?"
„Zehn Jahre", erwiderte Nabil.
„Seine Mutter hat ihm die Gedichte beigebracht", bemerkte der Scheich voller Stolz.
„Und bei mir wird er Lesen und Schreiben lernen", sagte der Lehrer.
Der Scheich und sein Gast unterhielten sich eine Weile. Im Laufe des Gesprächs kamen sie überein, dass der Koranlehrer nicht nur Nabil, sondern auch andere Kinder des Zeltlagers unterrichten sollte.

Einen Monat nachdem der Lehrer den Brief entziffert hatte, traf er im Stammeslager ein. Nicht weit vom Scheichzelt entfernt schlug er sein Zelt auf. Einige Stammesbewohner halfen dem Lehrer bei der Arbeit, andere beäugten argwöhnisch die neue Schule.

Am Abend versammelten sich die Bewohner des Zeltlagers im Scheichzelt.

Der Scheich wandte sich an die Anwesenden: „Die Koranschule ist für alle offen. Der Koranlehrer wird die lernwilligen Kinder mit der arabischen Schrift und mit der Religion vertraut machen."

Der Scheich hielt kurz inne, dann wandte er sich an den Lehrer: „Was verlangst du für deine Dienste?"

Der Koranlehrer räusperte sich. „Wer sein Kind in die Schule schicken will, muss mir pro Monat einen Piaster bezahlen. Donnerstags bekomme ich von jedem Schüler ein Ei. Der Freitag ist schulfrei."

„Wie lange dauert es, bis die Kinder lesen und schreiben können?", wollte ein Vater wissen.

„Wenn sie eifrig lernen, ein Jahr", erwiderte der Lehrer.

„Und wer soll in dieser Zeit meine Ziegen zur Weide führen?", ereiferte sich der Vater.

Der Lehrer zuckte mit den Schultern.

„Du hast drei Söhne", schaltete sich der Scheich ein. „Schicke einen zur Schule und die anderen zwei zu den Ziegen auf die Weide."

Der Koranlehrer lächelte verschmitzt. „Wenn du zwei Kinder zu mir in die Schule schickst, so bekommst du Ermäßigung."

Nach einigem Hin und Her trug der Lehrer die Namen von zwei Dutzend Kindern in sein Heft ein.
Am nächsten Tag sollte die Schule beginnen. Schon im Morgengrauen wurden die Kinder geweckt.
„Du musst dich für die Schule waschen und ein frisches Gewand anziehen“, mahnte Salwa ihren Sohn. Sie packte Nabil Fladenbrot und Ziegenkäse in einen Beutel und reichte ihm ein Lammfell. „Darauf kannst du dich in der Schule setzen.“
Nach und nach trafen die frisch gebackenen Schüler im Zelt des Koranlehrers ein. Einige Kinder konnten nur mit Mühe überredet werden, in die Schule zu gehen. „Wenn du rechnen gelernt hast, kannst du deine Ziegen zählen“, munterte eine Mutter ihren Sohn auf, der nur widerwillig hinter ihr hertrottete.
Als die Schüler vollzählig waren, ließ der Lehrer sie im Halbkreis niedersitzen. Er wünschte einen gesegneten Morgen. Kleine und große Schüler saßen in der Runde und blickten ihn erwartungsvoll an.
„Wer Schreiben und Lesen lernen will, muss zuerst zwei Dinge können: still sitzen und zuhören!“ Der Lehrer deutete zum Zelteingang. „Wenn die Sonne über dem Zeltdach steht, ist der Unterricht zu Ende.“
Er ließ sich auf seinem Teppich nieder und strich mit seiner Hand den Sand glatt.
„Die arabische Schrift hat achtundzwanzig Buchstaben. Jeden Tag bringe ich euch einen Buchstaben bei.“
Er malte ein Zeichen in den Sand: „Dies ist das Alif, der erste Buchstabe des Alphabets.“
Die Kinder reckten ihre Hälse.

„Bis der Scheich in die Stadt reitet und Papier und Stifte besorgt, schreibe ich die Zeichen in den Sand", gab der Lehrer bekannt und fuhr fort: „Jetzt seid ihr an der Reihe. Jeder soll ein Alif malen. Die Älteren sollen den Jüngeren helfen!"

Nachdem die Kinder lange genug den ersten Buchstaben geübt hatten, las der Lehrer Koranverse vor, die die Schüler auswendig lernen mussten. So ging der erste Schultag zu Ende.

Als Nabil aus der Schule zurückkehrte, empfing ihn seine Mutter mit einem Geschenk. „Ich habe dir eine Schultasche bestickt."

Nabil hielt die schwarze Stofftasche mit dem grünroten Muster hoch und betrachtete sie.

„Freust du dich?", wollte die Mutter wissen.

Nabil nickte. „Ja, sehr, die Kamelkarawane gefällt mir besonders gut."

„Wenn du erst gelernt hast, deinen Namen zu schreiben, kannst du ihn auf die Tasche malen, und ich besticke den Schriftzug", versprach die Mutter.

Nabil war zufrieden.

Bereits am ersten Abend bestürmten die Männer den Lehrer. „Ist mein Sohn klug?", wollte der eine wissen. „Hört mein Sohn gut zu?", erkundigte sich der andere und ein dritter fragte: „Kann mein Sohn schon lesen?"

„Allah hat die Welt nicht an einem Tag erschaffen", wiegelte der Scheich ab. „Wie sollen die Kinder nach ein paar Stunden schon lesen können?"

„Beim nächsten Vollmond wird dein Sohn seinen Namen

schreiben können", beruhigte der Koranlehrer den besorgten Vater. „Du wirst die Münzen nicht umsonst ausgeben."
Nach dem vierten Schultag erinnerte der Lehrer die Schüler daran, die Eier nicht zu vergessen. „Morgen ist Donnerstag!", verkündete er.
Am nächsten Tag brachte jeder Schüler ein Hühnerei mit. Der Lehrer hatte im Sand eine Kuhle gegraben, in die er vorsichtig ein Ei nach dem anderen gleiten ließ.
„Was macht er mit den vielen Eiern?", flüsterte ein Schüler einem anderen ins Ohr.
„Ich weiß nicht", erwiderte dieser.
„Kein Mensch kann so viele Eier essen."
Eines Tages heckten Nabil und sein Freund Abdallah einen Streich aus. Als der Lehrer wie jeden Donnerstag seine Eier eingesammelt hatte und mit dem Unterricht begann, flüsterte Nabil Abdallah zu: „Das Nest ist voll!"
„Lehrer müsste man sein", gab dieser zurück.
Nach einer Weile wandte sich der Lehrer an Nabil: „Was ist los mit dir? Schreibst du heute nicht mit?"
„Ich habe Kopfschmerzen", klagte Nabil.
Der Lehrer winkte ihn zu sich und legte ihm die Hand auf die Stirn. „Wasche dein Gesicht mit kühlem Wasser", forderte er den Jungen auf und reichte ihm den Wasserkrug.
Nabil tat so, als schwankte er. „Mir ist schlecht", stöhnte er und ließ den Krug fallen.
Dieser landete mit Getöse in der Kuhle. Die Schüler johlten.
„Die Eier! Die Eier! Alles Matsch!"
„Ruhe! Ruhe!", brüllte der Lehrer. Die Zornesröte stieg ihm ins

Gesicht. „Warum bleibst du nicht bei der Mutter, wenn du krank bist?“, herrschte er Nabil an.
„Ich wollte den Unterricht auf keinen Fall verpassen“, gab dieser zurück.
„Für heute ist der Unterricht beendet“, beschied der Koranlehrer und schickte die Kinder nach Hause.
„So ein Pech“, murmelte er. „Für die Eier wollte ich eine Pluderhose eintauschen.“

Es kam, wie der Lehrer gesagt hatte. Nach einem Jahr hatten die Kinder Lesen und Schreiben gelernt und konnten Koranverse rezitieren. Nur ein Schüler konnte kaum mehr als seinen Namen schreiben.
„Ein hoffnungsloser Fall. Der beste Lehrer kann deinem Sohn nichts beibringen“, sagte er zu dem Vater, der ein langes Gesicht zog.
„Zwölf Münzen habe ich umsonst bezahlt“, murrte der Vater. „Hätte ich ihn doch lieber bei den Ziegen gelassen.“
Der Scheich richtete zum Schulabschluss ein Festessen aus, zu dem alle Stammesbewohner geladen waren. Man dankte dem Lehrer und verabschiedete ihn mit den besten Wünschen.
Nabil war ein fleißiger Schüler gewesen. Er las ohne dabei zu stocken und seine Handschrift war makellos. Bekam der Vater nun Post aus der Stadt, so las ihm sein Sohn den Brief vor. Nabil brachte seinem Vater sogar bei, seinen Namen zu schreiben, sodass dieser nicht mehr mit dem Daumenabdruck zu unterschreiben brauchte.
Dieser wiederum begann seinen Sohn mit den Aufgaben eines

Scheichs vertraut zu machen. Nabil wohnte vielen Sitzungen und Gesprächen im Scheichzelt bei. So lernte er die Sitten und Gebräuche der Vorfahren und er beobachtete, wie der Vater Streitigkeiten beizulegen pflegte. War der Vater auf Reisen, so nahm Nabil seinen Platz im Scheichzelt ein. Er fachte das Feuer an, kochte Kaffee und empfing die Gäste.

Salwa war stolz auf ihren Sohn und unterstützte ihn mit Rat und Tat. Dies missfiel den anderen beiden Frauen des Scheichs, die Nabil beneideten. Auch ihre Söhne missgönnten Nabil seinen Erfolg.

Nach einem heftigen Wortwechsel zwischen Salwa und den beiden anderen Frauen kam es zu einem offenen Streit. Die zweite Frau des Scheichs schimpfte Nabil einen Nichtsnutz, während ihr Sohn hart arbeitete. Salwa nahm Nabil in Schutz. Als sich die Söhne der beiden Frauen einmischten, drohte der Streit in eine Schlägerei zu münden.

Nur dem Eingreifen des Scheichs war es zu verdanken, dass die Auseinandersetzung ein Ende fand. „Wie kann ich den Streit zwischen anderen schlichten, wenn in meinen eigenen Zelten kein Friede herrscht!", zürnte der Scheich.

Bisweilen begleitete Nabil seinen Vater in die Stadt. Eines Tages wollten die beiden den Wochenmarkt besuchen. Der Scheich ritt seinen Hengst, einen Schimmel, und Nabil saß auf seiner jungen Stute. Auf halbem Wege schoss plötzlich ein Raubvogel aus dem Gebüsch. Der Hengst scheute, und noch ehe der Scheich die Zügel ergreifen konnte, hatte ihn das Pferd abgeworfen. Der Reiter stieß einen gellenden Schrei aus.

Nabil sprang von seinem Reittier und eilte seinem Vater zu

Hilfe. Der Scheich hatte eine Wunde am Kopf und er klagte über Rückenschmerzen. Mit Müh und Not gelang es Nabil, den Vater wieder auf den Hengst zu hieven. Er fasste die Zügel der beiden Pferde und trat den Rückweg zum Zeltlager an.
„Was ist passiert?“, erkundigte sich Salwa besorgt. „Warum seid ihr schon zurück?“
„Der Vater ist vom Pferd gestürzt.“
„Ein schlechtes Omen am frühen Morgen“, murmelte Salwa.
Die beiden hoben den Scheich vom Pferd, verbanden ihm den Kopf und legten ihn auf die Matratze.
„Ich lasse den Derwisch kommen“, sagte Nabil.
Kurze Zeit später stand der Derwisch am Krankenlager. Er untersuchte den Verletzten. „Die Wunde wird schnell heilen“, stellte er fest, „doch die Wirbelsäule ist verletzt. Das ist eine langwierige Angelegenheit.“ Er strich noch einmal über den Rücken des Kranken. „Du bist auf einen Stein gefallen.“
Der Scheich nickte.
„Du musst deinen Rücken schonen“, riet der Derwisch. „Die nächsten Wochen darfst du das Schlaflager nicht verlassen. In einer Woche werde ich wieder nach dir sehen.“
Während Nabil den Derwisch hinausbegleitete, richtete Salwa für ihren Mann ein Schlaflager in ihrem Zeltabteil ein.
„Ich werde deinen Vater pflegen und du kümmerst dich um das Gastzelt“, beschied Salwa. „Ein Scheich muss ein offenes Ohr und ein dickes Fell haben“, fügte sie hinzu. „Viele Menschen

tragen ihre Sorgen in das Scheichzelt und suchen Rat und Hilfe.“
„Ich werde mich bemühen, in die Fußstapfen meines Vaters zu treten“, versprach der Sohn.

Bereits am frühen Morgen fachte Nabil das Feuer im Scheichzelt an und kochte Kaffee. Und am Abend war er zugegen, bis der letzte Gast das Zelt verlassen hatte.
„Es ist beileibe keine leichte Aufgabe“, stöhnte er.
„Mit der Zeit sammelst du Erfahrung und gewöhnst dich daran“, tröstete ihn die Mutter.

Sieben Tage nach dem Sturz des Scheichs ließ Amira Nabil ausrichten, er solle für sie noch eine Geschichte erfinden.
„Der Zeitpunkt ist ungünstig“, dachte Nabil bei sich, doch er hoffte, dass er bald Zeit finden würde, über eine Geschichte nachzudenken.
Am nächsten Morgen, als er wie üblich im Scheichzelt an der Feuerstelle saß, traf ein alter Mann ein. Sein Rücken war gekrümmt und sein Gewand sah erbärmlich aus. Nabil reichte dem Gast ein Schälchen Kaffee. Nach dem ersten Schluck begann dieser, Lobgesänge auf den Scheich vorzutragen. Er rühmte vor allem seine Großzügigkeit.
Der Scheich, der hinter der Trennwand in Salwas Zeltabteil lag, ahnte, was auf ihn zukam. Er gab Salwa eine Münze. „Steck sie deinem Sohn zu!“
In diesem Augenblick bog Nabil um die Ecke, um Wasser zu holen. „Was soll ich mit dem Bettler anfangen?“, erkundigte er sich.
„Gib ihm diese Münze“, erwiderte Salwa. „Es ziemt sich nicht für einen Scheich, einen Bettler abzuweisen. Der Alte soll das Zelt nicht umsonst aufgesucht haben.“
Nabil überreichte dem Gast die Münze. Dieser ließ die Münze

in seine Tasche gleiten und verabschiedete sich, nicht ohne zu versprechen, die Großzügigkeit des Scheichs in allen Zelten zu rühmen.

Nabil geleitete den Bettler vor das Zelt und winkte ihm zum Abschied.

„Wenn der Alte die Lobgesänge allzu laut anstimmt", flüsterte er seiner Mutter zu, „dann können wir uns vor Bettlern nicht mehr retten."

„So schlimm wird es schon nicht kommen", beruhigte ihn die Mutter. „Ein Bettler ist ein Dichter. Was er sieht, beschreibt er."

In dieser Nacht lag Nabil im Scheichzelt auf der Matratze. Es herrschte Stille. Nur ein leichter Wind bewegte die Zeltbahnen. Obgleich die Nacht mild war, fröstelte Nabil. Er zog sich die Decke bis über die Nase und blickte starr zum Zeltdach hoch. Seine Gedanken kreisten um Amira. Er versuchte sich vorzustellen, wie ihre gemeinsamen Kinder aussehen würden. Er sann auch über eine Geschichte nach, doch ohne Erfog. Erst spät nach Mitternacht überwältigte ihn der Schlaf.

Am frühen Morgen weckten Nabil die Rufe seiner Mutter: „Wach auf, mein Sohn! Ein Reiter kommt auf das Zelt zu."

Schlaftrunken erhob sich der junge Mann. Er benetzte sein Gesicht mit Wasser, räumte eilig die Matratze zur Seite und trat vor das Zelt, um den Ankömmling zu empfangen.

Der Reiter, der eine edle Stute ritt und einen Umhang mit Goldbordüre trug, schien von vornehmer Herkunft zu sein.

Nabil drückte dem Gast die Hand, band die Zügel der Stute an einen Zeltpflock und rollte bunte Teppiche aus. „Der Gast sei gegrüßt!"

Der Fremde erkundigte sich nach dem Scheich. Nabil erzählte, was seinem Vater zugestoßen war.

Im Laufe des Gesprächs stellte sich heraus, dass der Gast ebenfalls Sohn eines Scheichs war. „Mein Vater und dein Vater sind sich vor langer Zeit einmal begegnet“, erzählte er und fuhr fort: „Ich bin auf der Suche nach einem Kamel. Da mich mein Weg an eurem Zeltlager vorbeiführte, wollte ich bei euch hereinschauen.“

„Wie ist dir dein Kamel abhanden gekommen?“, wollte ein Stammesbewohner wissen, der, angelockt durch die edle Stute, in das Scheichzelt trat.

Der Gast berichtete: „Vor ein paar Monaten, während der Brunstzeit, war mein Kamelhengst nicht zu bändigen. Da er begann Menschen anzugreifen, verpasste ich ihm einen Maulkorb und fesselte ihm die Vorderbeine. In der Nacht muss er sich losgerissen haben. Seitdem ist er verschwunden.“

Der Stammesbewohner nickte: „Ein wild gewordener Kamelhengst kann gefährlich werden.“

„Es ist ein wertvolles Tier“, bemerkte der Gast. „Ich möchte es so schnell wie möglich wieder finden. Ist die Brunstzeit um, so ist der Kamelhengst wieder ganz friedlich.“

„Bist du schon lange auf der Suche?“, wollte Nabil wissen.

„Seit Wochen bin ich unterwegs“, entgegnete der Angesprochene.

„Leider haben wir nichts gehört oder gesehen von einem ausgerissenen Kamel“, sagte Nabil. „Doch wir wünschen dir viel Erfolg bei der Suche.“

Als der Gast nach dem Mittagessen aufbrechen wollte, hielt ihn

Nabil zurück: „Du und dein Reittier, ihr braucht Ruhe. Ich schlage vor, dass du die Nacht bei uns zubringst und morgen deine Suche fortsetzt."

Erst sträubte sich der junge Scheichsohn, doch nach einigem Zureden nahm er das Angebot an.

Gast und Gastgeber unterhielten sich angeregt bis spät in die Nacht.

Am nächsten Morgen bewirtete Nabil seinen Gast.

Dieser bedankte sich für die Gastfreundschaft. „Bevor die Sonne am Himmel steht, breche ich auf", kündigte er an. Er packte seine Satteltaschen und trat vor das Zelt. „Bring mir meine Stute", bat er seinen Gastgeber.

„Sie ist neben meinem Zelt angepflockt", erwiderte Nabil. „Ich hole sie."

Nabil wollte seinen Augen nicht trauen, als er den Platz neben dem Zelt leer fand. Er fasste sich an das Kinn: „Vielleicht hat sich die Stute losgerissen und sich zu den anderen Pferden gesellt?", mutmaßte er.

Nabil lief zu seinen Pferden, die zwei Steinwürfe vom Zelt entfernt grasten. Die Stute war nicht unter ihnen.

„Wer hat die Stute des Gastes gesehen?", rief Nabil, so laut er konnte.

Aus allen Zelten eilten die Bewohner zusammen. Doch niemand hatte das Tier gesehen.

„Gestern Abend war die Stute noch neben dem Zelt. Ich habe sie selbst angepflockt und ihr Heu gebracht", ereiferte sich Nabil.

Salwa betrachtete die Stelle, wo die Stute gestanden hatte. „Das Seil ist verschwunden“, stellte sie fest. „Jemand muss das Tier losgebunden haben.“

Die Stammesbewohner schauten sich betroffen an.

„Wir haben dutzende von Pferden, doch ausgerechnet das Pferd des Gastes wurde gestohlen!“, zürnte der Scheich, der sich nicht rühren konnte.

Der junge Gast war bleich vor Schreck: „Ich bin auf der Suche nach meinem Kamel und nun kommt mir auch noch meine Stute abhanden. So werde ich zum Gespött meiner Stammesbrüder!“

Nabil beruhigte den Besucher: „Ich als Gastgeber hafte nicht nur für deine Sicherheit, sondern auch für dein Hab und Gut. So sieht es das Gastrecht vor.“ Er holte tief Luft: „Ich werde nicht ruhen, bis ich deine Stute aufgespürt habe. Bis dahin ist meine Stute deine Stute. Sie ist ebenfalls von edler Herkunft.“

Nabil übergab dem Gast seine Stute. Dieser war erleichtert. Er befestigte seine Satteltaschen, verabschiedete sich und ritt davon.

Nabil aber setzte sich an das Krankenlager seines Vaters, um sich mit ihm zu beraten. „Wer wagt es, sich an der Stute meines Gastes zu vergreifen?“, empörte er sich.

„Mein Sohn, ich fürchte, das Ansehen unseres Stammes steht auf dem Spiel“, sagte der Scheich. „Das letzte Mal habe ich von einem solchen Vorfall in meiner Jugendzeit gehört. Er trug sich in einem Nachbarstamm zu. Die Schande ist bis heute nicht getilgt.“

„Das Gastrecht ist heilig“, bemerkte Salwa.

Nabil schwor, die Stute aufzuspüren, was immer es auch kosten möge.

Der Vorfall gab auch Anlass zu Sticheleien: „Nabil taugt nicht zum Nachfolger“, murrten die anderen Frauen des Scheichs. Und: „Er ist eine Schande für seinen Vater.“

„Vor Diebstahl ist keiner gefeit. Ein Dieb kann den Sultan stehlen“, gab Salwa zurück. „Mein Sohn wird sich auf die Suche machen!“

Nabil bat den Scheich: „Vater, ich brauche deinen Hengst. Ich habe keine Zeit zu verlieren.“

„Ein Hengst ist kräftiger als eine Stute. Er braucht einen straffen Zügel“, mahnte ihn der Vater. „Der Stammesahn möge dir bei deiner Suche beistehen.“

Salwa packte ihrem Sohn Proviant ein und füllte einen kleinen Lederbalg mit Wasser: „Allah beschütze dich, mein Augenschein!“

Als Nabil auf dem Hengst saß, erinnerte ihn seine Mutter, dass am nächsten Tag Viehmarkt sei. „Vor Sonnenaufgang musst du den Markt erreichen. Vielleicht will der Dieb die Stute verkaufen.“

Der Sohn umarmte seine Mutter zum Abschied. Dann stürmte er auf dem Hengst davon und war bald in einer Staubwolke verschwunden.

Unterwegs fragte Nabil jeden, den er traf, nach der verlorenen Stute. Sie war schwarz, hatte weiß gezeichnete Fesseln und ein weißes Mal auf der Stirn. Ihr Schweif reichte bis zum Boden. Doch niemand konnte ihm helfen.

Auf dem Viehmarkt war das Pferd auch nicht zu finden. Ein

alter Pferdehändler, dem Nabil von seinem Kummer erzählte, tröstete den jungen Mann: „Eine so prächtige Stute ist kein Schaf, das man schlachtet. Such geduldig weiter!“

Nabil ritt von einem Viehmarkt zum anderen, streifte durch Zeltlager und Dörfer, doch die Suche blieb erfolglos. Er dachte an seinen Vater, der krank daniederlag, und an seine Mutter, die in Sorge um ihn war.

Nach drei Wochen gab er die Hoffnung auf und kehrte um. Auf dem Rückweg kam er an einem Dorf vorbei. Hängenden Kopfes trottete er mit seinem Hengst durch einen Olivenhain, an dessen Ende ein Bauernhaus lag.

Eine Bäuerin holte soeben das Fladenbrot aus dem Backofen. „Oh Reiter, sei unser Gast!“, lud sie den Ankömmling ein.

Nabil, der hungrig und durstig war, nahm die Einladung erfreut an. Er stieg ab, befestigte die Zügel seines Hengstes an einem Feigenbaum und schaute sich um.

In diesem Moment trat der Bauer aus der Haustür. „Der Gast sei willkommen!“, begrüßte er den Fremden.

Nabil lief das Wasser im Mund zusammen, als er das gebratene Rebhuhn mit Reis und frischem Brot erblickte.

„Greif zu“, ermunterte ihn der Bauer. Während des Essens sagte er zu Nabil: „Meine Frau hat mir heute Morgen von deinem Kommen erzählt.“

Nabil wurde hellhörig: „Wie ist das möglich? Ist deine Frau Hellseherin?“

„Nein“, lachte der Bauer. „Du bist ihr heute Nacht im Traum erschienen.“

Nabil wunderte sich.

„Der Gast sucht eine edle Stute?“, fragte die Bäuerin, die eine Schale Joghurt über den Reis goss.
Nabil stockte: „Woher weißt du das?“ Vor Schreck wäre ihm fast der Bissen im Hals stecken geblieben.
„Ich habe es geträumt“, erwiderte die Bäuerin.
Nabil schilderte den Bauersleuten ausführlich, was ihm zugestoßen war. „Hast du im Traum auch gesehen, wo die Stute ist?“, wollte er wissen.
Die Frau wiegte bedächtig ihren Kopf. „Die Stute ist in einer Höhle unweit eines Wadis. Doch in welcher Gegend die Höhle ist, kann ich dir nicht sagen.“
Nabil schöpfte Hoffnung. „Ich werde alle Höhlen der Wüste aufspüren, bis ich die Stute wiederhabe.“ Er dankte den Bauersleuten und machte sich unverzüglich auf den Heimweg.
Beim Reiten kamen ihm die drei Höhlen seines Stammesgebietes in den Sinn. Er beschloss, die Suche sogleich in diesen Höhlen zu beginnen.
Das Glück stand auf seiner Seite. In der dritten Höhle wurde er fündig. Die Stute des Gastes war gefesselt, doch unversehrt. Vor ihr lag ein Haufen mit Heu.
Ohne zu zögern, durchtrennte Nabil mit seinem Dolch die Fessel, packte den Zügel der Stute und ritt los. Nabil war überglücklich. Als er das Scheichzelt erreichte, breitete sich große Freude aus. Salwa trällerte zum Empfang ihres Sohnes ein Lied und befestigte eine weiße Fahne auf dem Zeltdach.

„Unsere Stammesehre ist wiederhergestellt“, beglückwünschte der Scheich seinen Sohn. Er beauftragte seinen Vetter, die Stute seinem Besitzer zurückzugeben und Nabils Stute einzulösen.

„Allah sei Dank, die Angelegenheit ist zu einem guten Abschluss gekommen", freuten sich die Stammesbewohner, und der Scheich beschied: „Mein Sohn, du bist würdig, mein Nachfolger zu werden."
Spät in der Nacht saß Nabil bei seiner Mutter und erzählte ihr ausführlich, was er unterwegs erlebt hatte.
„Die Geschichte ist merkwürdig", meinte die Mutter. „Ein Dieb versteckt sein Diebesgut nicht so lange Zeit."
Nabil wurde nachdenklich. „Wer sollte aber sonst auf so einen Einfall kommen?"
„Jemand, der deinem Ansehen schaden wollte", erwiderte Salwa. „Vielleicht sogar jemand aus dem engeren Familienkreis."
„Traust du meinen Brüdern eine solche Tat zu?", wollte Nabil wissen.
„Sie gönnen dir die Nachfolge nicht", gab Salwa zu bedenken.
Nabil blickte seine Mutter an. „Wir sollten dem Vater von unserem Verdacht erzählen."
Die Mutter wehrte ab. „Wer immer dir schaden wollte, hat sein Ziel verfehlt. Es ist klüger, den Verdacht für uns zu behalten. Dein Vater ist krank. Wir wollen jeden Streit vermeiden."
Nabil ließ sich von seiner Mutter überzeugen. Am nächsten Tag nahm er seine Arbeit im Scheichzelt wieder auf.

Die täglichen Verpflichtungen, der Sturz des Vaters und die Aufregung um die Stute seines Gastes ließen Nabil keine Zeit, sein Versprechen für Amira einzulösen. Seine Fantasie war gelähmt und der Schlaf floh seinen Augen. Da der junge Mann in der Nacht keine Ruhe fand, legte er sich des Öfteren tagsüber in die Hängematte.

„Es ziemt sich nicht, am Tag zu schlafen", rügte ihn seine Mutter, „du solltest an der Feuerstelle sitzen."

Nabil verteidigte sich. Das eine Mal behauptete er, er sei müde, das andere Mal gab er an, er habe zu viele Pflichten.

„Du wirst dich mit der Zeit an die Aufgaben gewöhnen", meinte die Mutter.

Der Zeitpunkt, an dem Nabil Amira seine Geschichte vortragen sollte, rückte unerbittlich näher. Als der Kummer immer schwerer auf ihm lastete, beschloss Nabil, sich seiner Mutter anzuvertrauen.

Salwa hörte ihrem Sohn geduldig zu. „Nicht die Pflichten bekümmern dich, sondern Amira", stellte die Mutter fest und fuhr fort: „Du hast dir eine Perle ausgesucht, mein Sohn! Amiras Schönheit ist in aller Munde. Jede Mutter wünscht sich ein solches Mädchen als Schwiegertochter."

„Ich kann mir keine Geschichte ausdenken", jammerte Nabil. „Mir fehlt die Ruhe." Er legte seinen Arm um die Mutter: „Könntest du nicht eine Geschichte für mich erfinden?"

„Ich bin doch nicht Scheherazade, die Erzählerin aus Tausendundeiner Nacht", suchte die Mutter die Erwartung zu dämpfen.

„Aber du kennst dich aus in der Dichtung", schmeichelte ihr der Sohn.

„Ich werde nachdenken", versprach die Mutter schließlich. „Wie viel Zeit bleibt noch?"

„Bis zum nächsten Vollmond muss ich die Geschichte haben", antwortete Nabil.

Salwa blickte zum Himmel empor: „Es bleiben noch neun Nächte“, stellte sie fest.
Die Nächte verstrichen. Und als der Vollmond über dem Zeltlager stand und der Baum des Lebens darin zu erkennen war, rief Salwa ihren Sohn zu sich und trug ihm die Geschichte vom Meineid vor.

Der Meineid

Die Geschichte, die ich dir erzählen will, trug sich vor vielen Jahren in einem Dorf in der Nähe von Bethlehem zu. Das Dorf war von Oliven- und Aprikosenhainen umgeben und Weinberge säumten die Hügel. Die Bewohner lebten in Steinhäusern. Jedes Haus hatte eine eigene Zisterne.
In einem dieser Häuser wohnte die Familie des Bauern Jussuf. Jussuf besaß einen großen Aprikosenhain, den er regelmäßig bearbeitete. Seine Aprikosen waren im ganzen Dorf begehrt.
Amineh, seine Frau, war dagegen eine bekannte Schneiderin. Selbst Frauen aus Bethlehem suchten sie auf, um bei ihr Kleider nähen zu lassen. Amineh schätzte die Feldarbeit nicht.
„Meine Frau kann nicht einmal auf einen Baum klettern“, scherzte Jussuf, und Amineh gab zurück: „Mein Mann kann keinen Faden durch das Nadelöhr ziehen.“
Jeder der beiden ging seiner Arbeit nach und kam dem anderen nicht in die Quere.

Da die Bauersfrau nicht nur emsig, sondern auch sparsam war, legte sie eine Münze nach der anderen zurück. „Die weiße Münze ist für den schwarzen Tag“, pflegte sie zu sagen. Im Hof neben der Zisterne grub sie ein Versteck und versenkte darin den Krug mit ihren Ersparnissen. Ab und zu, wenn alle schliefen, überprüfte sie, ob ihr Schatz noch da war.
Im Laufe der Jahre gebar Amineh vier Söhne und drei Töchter. Die Söhne halfen dem Vater auf dem Feld und die Töchter gingen der Mutter bei der Hausarbeit zur Hand und erlernten das Schneiderhandwerk. Nach und nach wuchsen die Kinder heran und heirateten und Amineh blieb allein mit ihrem Mann.

Mit den Jahren wurden Aminehs Augen schwach. So sehr sie sich auch bemühte, sie konnte das Nadelöhr nicht mehr finden. Schließlich gab sie ihre Schneiderei auf.
„Wenn du vor mir stirbst, so brauche ich nicht mehr auf dem Feld zu arbeiten“, scherzte der Bauer, der stolz war auf seine tüchtige Frau.
„Frauen sind aber zäher als Männer“, gab die Bäuerin zurück.
Eines Tages, als seine Zeit abgelaufen war, starb Jussuf. Noch bevor die Trauerzeit vorüber war, zerstritten sich die Söhne und Töchter um das Erbe. Als es immer lauter im Haus wurde, schlug die Mutter vor, den Imam, den Vorbeter der Moschee, um Hilfe zu bitten.
Nach der Freitagspredigt suchten die Erben den Imam auf und trugen ihm ihr Anliegen vor. „Ich werde mir den Aprikosenhain ansehen“, schlug der Imam vor.
Die Erben geleiteten den Vorbeter auf das Feld.

„Jussuf war ein tüchtiger Mann. Seine Seele sei gesegnet", wünschte der Imam. Er schob sich eine saftige Aprikose in den Mund.
Mit großen Schritten durchmaß er das Feld in der Länge und in der Breite, zählte erst die Bäume und dann die Köpfe der Erben.
„Vier Söhne und drei Töchter", stellte er fest. „Und wie steht es um die Mutter?"
„Sie verzichtet auf ihren Teil", gab der älteste Sohn zur Antwort.
„Eine Tochter erbt halb so viel wie ein Sohn", stellte der Vorbeter klar, „so steht es in unserem heiligen Buch geschrieben. Ich teile das Feld in vier große und drei kleine Stücke. Den Söhnen stehen die großen Parzellen zu, die Töchter bekommen die kleinen."
Und so geschah es. Der Imam markierte die Parzellen und teilte sie den Erben zu.
Zwei Jahre nach dem Tod des Vaters erkrankte die Mutter. Sie war mittlerweile erblindet. Nur wenige Tage später, als ihr die jüngste Tochter das Frühstück bringen wollte, lag sie reglos auf der Matte. Laut schreiend lief die Tochter aus dem Haus.
Die Geschwister und die Dorfbewohner eilten unverzüglich herbei um die Tote zu betrauern. Während die Frauen die Leiche wuschen, suchten die Männer nach Hacken, um das Grab zu schaufeln.
Wie der Zufall es wollte, entdeckte der jüngste Sohn dabei den verborgenen Schatz. Er vergrub den Krug wieder und verlor kein Wort über den Fund.
In der folgenden Nacht, als alle schliefen, nahm er den Schatz

heimlich an sich und vergrub ihn in seiner Parzelle am Fuße eines Aprikosenbaums.
Die ersten drei Trauertage verstrichen. Am vierten Tag versammelten sich die Söhne und die Töchter, um das Erbe der Mutter zu regeln.
„Unsere Mutter, Allah sei ihr gnädig, hat uns einen Schatz hinterlassen", sagte der älteste Sohn und schaute in die Runde: „Hat die Mutter jemandem von euch erzählt, wo dieser Schatz verborgen ist?"
Alle schüttelten die Köpfe.
„Dann müssen wir uns auf die Suche begeben", beschied der Sohn.
Die Erben stellten das Haus auf den Kopf und durchkämmten den Hof. Einer stieg gar in die Zisterne hinab, eine der Töchter kletterte auf das Dach und untersuchte den Schornstein.
„Du Dummkopf", schimpfte ihre Schwester. „Unsere Mutter konnte doch nicht einmal auf einen Baum klettern, wie sollte sie das Dach erreichen?"
Die Suche war vergeblich und Enttäuschung breitete sich aus. Misstrauisch beäugten sie einander und beobachteten jeden Schritt des anderen mit Argwohn.
„Unsere Mutter war wachsam", bemerkte der älteste Sohn. „Kein Dieb hätte es gewagt ihren Hof zu betreten." Er dachte nach. „Wir suchen den Imam auf", beschloss er schließlich. „Er hat uns bei Vaters Erbe geholfen, vielleicht findet er auch dieses Mal eine Lösung."
Und so geschah es.
Die sieben Geschwister trugen dem Vorbeter ihr Problem vor.

Der Imam strich sich über seinen weißen Bart und dachte nach. „Die Angelegenheit ist verzwickt", sagte er nach einer Weile. „Doch ich habe einen Vorschlag: Um das Misstrauen zwischen euch auszuräumen, soll jeder von euch einen Eid ablegen, dass er den Schatz nicht an sich genommen hat."
Die Erben waren einverstanden.
Der Vorbeter hob drohend seinen Finger: „Ich mahne euch, den Eid nicht auf die leichte Schulter zu nehmen. Wer beim heiligen Buch des Koran schwört, muss die Wahrheit sagen."
Der älteste Bruder nahm den Koran zur Hand und leistete seinen Eid. Die Brüder folgten ihm und dann kamen die Schwestern an die Reihe.

Einen Monat nach dem Eid bemerkte der jüngste Sohn, dass einer seiner Aprikosenbäume Blätter verloren hatte. Er düngte den Baum und goss Wasser auf die Wurzeln.
Doch einige Tage danach war der Baum nur noch ein nacktes Gerippe und auch der zweite Baum begann zu dorren. Der junge Bauer wurde nachdenklich, als er sah, dass die Bäume auf den anderen Parzellen grün blieben.
Wenige Zeit später erkrankte sein einziges Kind. Die Frau suchte eine Hebamme nach der anderen auf, aber keine konnte dem Kind helfen. Es wurde von Tag zu Tag schwächer.
Der junge Bauer mied sein Haus. Auf dem Feld traf er seinen ältesten Bruder. „Was ist mit deinen Bäumen los?", wollte dieser wissen. „Hast du sie nicht genug bewässert?"
„Ich habe sie bewässert und gedüngt", erwiderte der Jüngere. „Ein krankes Kind und verdorrte Bäume sind ein schlechtes

Omen", bemerkte der Ältere. „Auf deinem Besitz scheint kein Segen zu liegen."

Der Jüngere senkte den Kopf und verließ den Hain, ohne ein weiteres Wort zu sagen. In seiner Verzweiflung beschloss er, sich dem Imam anzuvertrauen.

„Hab ich euch nicht vor einem Meineid gewarnt?", fuhr der Imam hoch, als der junge Bauer seinen Bericht beendet hatte.

„Was soll ich tun?", jammerte der junge Bauer.

„Bring mir den Krug", befahl der Imam barsch, „und rufe deine Geschwister zu mir."

Der jüngste Sohn tat, was ihm der Vorbeter aufgetragen hatte. Der Imam zählte die Münzen und händigte den Erben ihre Anteile aus.

An den jüngsten Sohn gewandt sagte er: „Dir rate ich, keine dieser Münzen anzufassen. Durch den Meineid hast du dein Erbe verwirkt."

Der junge Bauer senkte seinen Blick.

„Verteile die Münzen an die Armen", empfahl ihm der Imam. „Allah möge dir in seiner großen Güte gnädig sein."

Der jüngste Sohn tat, was ihm der Imam geraten hatte.

Allmählich genas das Kind, doch die Aprikosenbäume blieben verdorrt. Dem jungen Bauern blieb nichts anderes übrig, als die Bäume abzuhacken und neue zu pflanzen. Es sollte Jahre dauern, bis die neuen Bäume Früchte trugen.

Amira und auch die drei Heiratsbewerber hatten jeder auf seine Weise die Zeit des Wartens verbracht. Sie alle hatten viel erlebt und gesehen und waren um manche Erfahrung reicher geworden.

Jeder der Bewerber wartete auf seine Chance, von Amira erwählt zu werden. Das Mädchen war nicht nur neugierig auf die Geschichten, sie wollte auch in Erfahrung bringen, ob die drei jungen Männer zuverlässig waren und ihr Versprechen hielten.

Als der Zeitpunkt des Geschichtenerzählens näher rückte, beobachtete Amira Abend für Abend den Mond. Als die Vollmondnacht nahte, legte sie das rot bestickte Kleid an, das sie von ihrer Mutter geerbt hatte, und wartete. Das Glück stand auf ihrer Seite, denn der Stamm hatte angesehene Gäste zu Besuch, und die Männer waren alle im Scheichzelt versammelt. Auch Amiras Vater gesellte sich zu ihnen, und so war sie allein im Zelt.

Der Vollmond erschien über dem Hügel und strahlte über das Zeltlager, als Amira ein Wispern vernahm. Das Mädchen lugte durch ein Zeltloch.

„Ich bin es,Khalil“, hörte Amira eine Stimme.

„Ich bin allein, tritt ein!“, forderte sie den Ankömmling auf.

Khalil huschte ins Zelt.

„Mein Vater ist im Scheichzelt, er wird nicht vor Mitternacht zurück sein“, beruhigte Amira den jungen Mann. „Das Warten hat sich gelohnt, du bist zuverlässig“, freute sie sich. „Lass deine Geschichte hören!“

Khalil nahm auf dem Teppich Platz und erzählte Amira die Geschichte von dem Wolfsfell. Mit gebannter Miene lauschte sie der Erzählung.

Als Khalil mit seiner Geschichte zu Ende war, erhob er sich und trat vor das Zelt. „Du wirst bald von mir hören“, versprach ihm das Mädchen zum Abschied.

In dieser Nacht lag Amira noch lange wach. Die Figuren der Geschichte wollten nicht aus ihren Gedanken weichen.

Am nächsten Morgen beim Frühstück erkundigte sich Amira bei ihrem Vater, wie lange die Gäste des Stammes noch bleiben würden.

„Noch zwei Nächte“, erwiderte Omar. „Das Gastrecht dauert drei Tage.“

Amira war zufrieden.

Nach Einbruch der Dämmerung empfing sie den zweiten Heiratsbewerber, Talal.

„Ich bin gespannt auf deine Geschichte, lass hören!“, ermunterte sie den Ankömmling.

Talal wollte keine Zeit verlieren und nahm unverzüglich den Erzählfaden auf. Mit viel Hingabe trug er Amira die Geschichte von der Mutprobe vor.

Das Mädchen lauschte aufmerksam. Als Talal geendet hatte, verabschiedete ihn Amira mit dem Versprechen, ihm demnächst eine Botschaft überbringen zu lassen.

Amira war beeindruckt von der Zuverlässigkeit der Bewerber und wartete gespannt, ob auch der letzte sie nicht enttäuschen würde.

Nabil, der dritte Heiratskandidat, hielt ebenso sein Versprechen.

Noch bevor Amira am folgenden Abend das Zelt aufgeräumt hatte, überraschte er sie.

„Komm herein!“, forderte ihn das Mädchen auf. „Ich weiß, dass

du eine dichterische Begabung hast. Ich bin gespannt auf deine Erzählkunst."

Und der dritte Heiratsbewerber gab seine Geschichte zum Besten. Er erzählte die Geschichte von dem Meineid. Amira bedankte sich und ließ auch Nabil wissen, dass er bald Antwort erhalten würde.

Während die drei Bewerber erleichtert darüber waren, ihr Versprechen eingelöst zu haben, und nun gespannt auf eine Antwort warteten, kamen auf Amira harte Zeiten zu. Die Qual der Entscheidung lastete auf ihrer Brust. Mehr als einmal dachte sie voller Wehmut an ihre Großmutter. Doch dieses Mal musste sie die Entscheidung alleine treffen. Da sie an allen drei Geschichten Gefallen gefunden hatte, musste sie auf eine andere Lösung sinnen.

Einmal dachte sie daran, keinen der drei Bewerber zu heiraten, sondern nur Freundschaft mit ihnen zu pflegen. Ein andermal schien ihr eine Verlosung der Ausweg zu sein. Sie zog die Kette mit den drei Perlen heraus und ließ sie nachdenklich durch ihre Hand gleiten. Die blaue für Talal, die rote für Nabil und die grüne für Khalil. Doch ganz wohl war ihr bei diesem Gedanken auch nicht.

Amira fragte immer wieder ihr Herz, welchem Bewerber es am meisten zuneigte, doch auch dies brachte keine Klarheit.

So verging ein Monat. Amira war der Verzweiflung nahe, und während sich das Mädchen mit der Entscheidung plagte, sehnten sich die drei Heiratsbewerber nach einer Botschaft. Schließlich verfiel Amira auf die Idee, alle drei Bewerber zu einem Treffen am Brunnen einzuladen. Vielleicht könnte ihr ein näheres Kennenlernen die Entscheidung bringen.

Zum festgesetzten Zeitpunkt erschienen Nabil, Talal und Khalil. Jeder hatte sich fein gemacht, um dem schönen Mädchen zu gefallen. Misstrauisch beäugten sich die drei Bewerber. Jeder bemühte sich jedoch, sich seine Nervosität nicht anmerken zu lassen.

Die vier setzten sich auf den Brunnenrand und ließen ihre Beine in die Öffnung baumeln. Erwartungsvoll schauten die drei jungen Männer das Mädchen an. Amira begann zu erzählen, wie sie die Zeit des Wartens verbracht hatte, und Khalil, Nabil und Talal hingen an ihren Lippen.

Als Amira geendet hatte, verspürte sie Durst. Sie griff nach dem Seil, um den Wassersack aus dem Brunnen zu ziehen. Bei dieser Bewegung verlor sie das Gleichgewicht und stürzte in den Brunnen.

Ohne zu zögern sprang ihr Nabil nach. Als Amiras Kopf an der Wasseroberfläche erschien, packte Nabil sie am Haarzopf, zog das Mädchen an sich und umklammerte sie. Dann suchte er das Seil zu erhaschen.

„Zieht uns hoch!“, keuchte er.

Khalil und Talal, fahl vor Schreck, zogen nach Leibeskräften an dem Seil.

Amira war kreidebleich und zitterte am ganzen Körper, als die beiden sie aus der Brunnenöffnung zogen. Nabil kletterte prustend über den Brunnenrand und begann sein Gewand auszuwringen.

Khalil und Talal reichten dem schlotternden Mädchen ihre Kopf-

tücher. Das triefnasse Kleid ließ die Konturen ihrer Gestalt erkennen.
„Ich muss so schnell wie möglich zu meinem Zelt zurück“, entschuldigte sie sich und eilte davon.

Eine Woche nach diesem Vorfall fiel die Entscheidung. Amira ließ Nabil die Botschaft überbringen, sie habe ihn erwählt. Er habe Mut bewiesen und zum Leben gehöre Mut.
Der junge Mann konnte sein Glück kaum fassen.
Ein Jahr danach feierten Nabil und Amira Hochzeit. Es war ein rauschendes Fest, an das sich die Stammesbewohner noch lange erinnerten.
Und wie Nabil es sich erträumt hatte, betrat er als Amiras Bräutigam das Brautzelt.